« UN VAISSEAU DE GUERRE DE CLASSE GALOR SE TROUVE JUSTE AU-DESSOUS DE NOUS », ANNONÇA LE LIEUTENANT DAX.

— Et nous recevons un appel d'un vaisseau bajoran, ajouta le major Kira.

Le commandant Sisko soupira :

— Établissez une transmission simultanée avec les deux vaisseaux, ordonna-t-il, et les deux commanders, le Cardassien Gul Danar et le capitaine Litna, de Bajor, apparurent à l'écran. Vous courez tous deux de graves dangers. Le dernier vaisseau à se trouver dans cette zone a été disloqué par un phénomène dont nous essayons de découvrir la cause.

— Nous savons ce qui est arrivé, dit le commander cardassien. Ce sont les terroristes bajorans qui...

— C'est vous qui avez attaqué notre planète, Gul Danar, répliqua le capitaine Litna.

— Personne n'attaque personne, coupa Sisko. Retournez chez vous. Mettez vos scientifiques au travail. Nous devons résoudre ce problème sans tarder, sans quoi nous serons tous détruits.

— Cessez de protéger les Bajorans, commandant, vociféra Gul Danar. C'était la dernière fois que nous tolérions leurs actes de terrorisme sans réagir. Nous sommes ici pour nous défendre. Si l'un de nos vaisseaux est attaqué de nouveau, nous répliquerons par une contre-offensive sur Bajor.

— C'est une déclaration de guerre ! dit Litna.

— C'est une déclaration d'intention, répondit calmement Gul Danar.

Star Trek : série Voyageur

1 Le protecteur
2 L'évasion
3 Ragnarok
4 Infractions
5 Incident à Arbuk

Star Trek : série Deep Space Neuf

1 L'émissaire
2 Le siège
3 La saignée
4 Le grand jeu
5 Les héros déchus

STAR TREK
DEEP SPACE NEUF

LE GRAND JEU

SANDY SCHOFIELD

Traduit de l'américain
par Bruno Guévin

Titre de la version originale anglaise : Star Trek Deep Space Nine :
The big game

Révision: Nancy Coulombe
Typographie et mise en page: François Doucet
Graphisme: Carl Lemyre
Traduction : Bruno Guévin
ISBN 2-921892-69-3
Dépôt légal : quatrième trimestre 1999
Bibliothèque nationale du Québec
Bibliothèque nationale du Canada

Première impression: 1999

Éditions AdA Inc.
172, Des Censitaires
Varennes, Québec, Canada, J3X 2C5
Téléphone: 450-929-0296
Télécopieur: 450-929-0220
www.ADA-INC.com
INFO@ADA-INC.COM

Diffusion

Canada: Éditions AdA Inc.
Téléphone: 450-929-0296
Télécopieur: 450-929-0220
www.ADA-INC.com
INFO@ADA-INC.COM

France: D.G Diffusion
6, rue Jeanbernat
31000 Toulouse
Tél: 05-61-62-63-41
Belgique: Rabelais- 22.42.77.40
Suisse: Transat- 23.42.77.40

Imprimé au Canada

Données de catalogage avant publication (Canada)

Schofield, Sandy

Star Trek, deep space neuf : le grand jeu

#4
Traduction de : Star Trek, deep space nine : the big game.

ISBN 2-921892-69-3

I. Guévin, Bruno. II. Titre.

PS3569.C525S7314 1999 813'.54 C99-941585-9

À Nina
pour toutes ces nuits passées à dévorer des pizzas
et Star Trek

LE GRAND JEU

CHAPITRE 1

Le clignotement des lumières reprit pour la sixième fois. Il y eut quelques cahotements, puis le turbolift s'arrêta net, avant de reprendre son ascension. Le commandant Benjamin Sisko laissa échapper un soupir de soulagement. C'était bien le dernier endroit où il aurait voulu rester coincé, et avec tous les problèmes étranges qui rendaient la vie impossible sur la station depuis quelques heures, cette éventualité s'avérait tout à fait envisageable.

Les défaillances de l'éclairage le tracassaient, mais pas au point de renoncer à son déjeuner avec Jake, car les occasions de passer un peu de temps avec son fils étaient rares. Pour ce repas prévu depuis plusieurs jours, ils avaient tous deux décidé de rester à jeun ce matin, afin de pouvoir résolument se gaver des mets favoris de Jake : spaghettis, tresse de pain norellien, salade ruthvienne glacée et gâteau au chocolat à la Jennifer. Ils entamaient le pain quand Sisko avait été appelé sur Ops. Avec un peu de chance, il ne lui faudrait que quelques minutes pour régler ce cas urgent, et il serait de retour à temps pour manger sa moitié de gâteau. Il ne l'aurait avoué à personne, mais il avait un faible pour le chocolat.

Quand l'ascenseur s'arrêta sur Ops, Sisko jeta, comme d'habitude, un bref coup d'œil sur l'architecture cardassienne : les baies en forme d'amande du pont supérieur, découvrant les étoiles, Bajor et les quais d'amarrage ; la salle des commandes, aux multiples paliers ; et le bureau du préfet — maintenant le sien —, juste en face du turbolift. Jamais il n'aurait cru qu'un jour il se sentirait bien ici, et pourtant, au cours des derniers mois, Ops était devenu la passerelle de son vaisseau stellaire personnel.

Elle était pratiquement déserte, cet après-midi, mais la nervosité était palpable dans l'air : on aurait pu la couper au couteau. Sisko soupira. Quelque chose lui disait que le gâteau au chocolat devrait attendre.

Le major Kira Nerys se tenait devant le pupitre des opérations, les yeux rivés sur l'écran. Les mains jointes derrière le dos et les jambes écartées avec une raideur toute militaire, elle était tout entière absorbée par son travail. Les doigts du lieutenant Dax voletaient avec agilité au-dessus de la console scientifique devant laquelle elle était assise. À part elles, Ops était vide.

— Était-il vraiment nécessaire d'interrompre mon déjeuner avec Jake pour un simple vaisseau férengi ? demanda Sisko d'une voix grave, mais neutre, puisqu'il n'aurait servi à rien de se montrer contrarié si la situation s'avérait véritablement urgente.

— Le vaisseau férengi semble soumis aux mêmes fluctuations d'énergie que nous, l'informa Dax. Ils ont sollicité l'accès d'un quai voilà maintenant près de deux heures, mais ils n'ont pas bougé depuis.

— Des fluctuations d'énergie ? Vous voulez dire qu'il ne s'agit pas seulement d'un problème d'éclairage ?

Kira ne le regarda même pas, signe qu'elle aurait sûrement dû l'appeler plus tôt mais ne l'avait pas fait, pour ne pas le déranger. Plus question de faire allusion à ce déjeuner.

— Les fluctuations affectent tous nos systèmes et ne répondent à aucun schéma normal, reprit Dax. Le localisateur informatique ne fonctionne plus. J'ai demandé à quelqu'un de trouver O'Brien. Les interruptions de service sont encore sans gravité, mais cela ne durera pas, je le crains.

Sisko descendit les marches qui menaient au pupitre des opérations. Le plus important d'abord. Les bris de service constituaient un problème sérieux, mais Kira gardait le contrôle de la situation. Il leva les yeux vers le maître écran, où le vaisseau férengi demeurait suspendu, immobile, au milieu des ténèbres sidérales. S'il n'avait pas été informé, il aurait cru que le navire s'était figé en vol.

— Ouvrez un canal subspatial, demanda-t-il.

Dax allait exécuter son ordre, quand une furieuse secousse ébranla la station, comme si une torpille photonique l'avait atteinte.

Sisko perdit l'équilibre et fut projeté contre le pupitre. Un violent élancement au bras faillit lui arracher un hurlement de douleur. Dax dégringola sous sa console et il entendit derrière lui Kira lancer un cri.

Quand le signal d'alarme retentit, sa plainte stridente ramena Sisko au jour où sa femme avait perdu la vie. L'espace d'un instant, il se retrouva, hagard, dans le dédale des couloirs en flammes, submergé par la sensation du corps de Jennifer qu'il pressait contre sa poitrine. Il chassa péniblement ce souvenir, refusant de céder à l'accablement.

Il regarda autour de lui. Un nuage de fumée assombrissait Ops.

Les lumières s'éteignirent et Sisko fut enseveli par l'obscurité. L'âcre odeur de fumée lui étreignit la gorge. Les générateurs de secours se mirent en marche, mais la faible intensité de l'éclairage ne faisait que rendre la fumée plus opaque encore.

— Le vaisseau férengi se fissure, annonça la voix posée du lieutenant Dax à travers le tumulte, alors qu'elle s'agrippait à sa console pour résister à la nouvelle onde de choc qui faisait trembler la station.

Le navire férengi était le dernier des soucis de Sisko. La totalité des écrans s'étaient allumés et signalaient des pannes et des bris dans la station entière. Les voyants d'urgence clignotaient sur toute la surface du pupitre des opérations. Sisko s'y appuya pour se relever et essaya d'apaiser la douleur à son épaule, maudissant le voile de fumée qui l'empêchait d'y voir. L'odeur de fils brûlés l'inquiétait.

— Qu'advient-il du faisceau tracteur ? demanda-t-il. Pouvez-vous assurer l'intégrité du vaisseau férengi ?

Il dut crier pour se faire entendre au-dessus du hurlement des sirènes d'alarme.

— Nous essayons, répondit calmement la voix de Dax.

Kira s'était relevée. Du coin de l'œil, il aperçut sa silhouette qui montait les escaliers branlants et s'élançait vers la console d'ingénierie. Où diable était passé O'Brien ?

Des étincelles jaillirent de connexions rompues. Sisko se rendit jusqu'à une console inoccupée et effectua une brève vérification des systèmes environnementaux.

— Des vaisseaux se sont détachés de leurs amarres sur les quais dix et douze, dit Kira. On signale plusieurs portes bloquées. Les lumières sont éteintes dans toute la station. Aucun dommage majeur et aucune victime.

Les alarmes dont le son montait et descendait interminablement servaient de contrepoint au staccato de l'échange de paroles entre les trois officiers. Le voile de fumée s'était épaissi. Sisko retint un accès de toux.

— Les systèmes environnementaux tiennent le coup, dit-il.

Les tableaux n'indiquaient pourtant aucune avarie importante. Impossible de savoir pourquoi la station entière était ainsi secouée.

Les unités d'éclairage principales se rallumèrent, inondant de lumière la zone enfumée.

— J'ai capté le vaisseau férengi, annonça Dax. Souhaitons que le faisceau ne lâche pas.

Sisko grimpa en vitesse les quelques marches qui le séparaient de la console scientifique, où Dax avait repris place dans son fauteuil. Le vieil homme dont Sisko gardait le souvenir n'était plus, les traits gracieux et le regard étincelant de Dax en témoignaient, mais sa compétence demeurait inchangée. Peut-être même en avait-il gagnée.

S'il fallait se fier aux affichages, c'était le plus gros vaisseau férengi que Sisko ait jamais vu. Il semblait avoir essuyé des dommages en même temps que la station.

— Kira, ordonna-t-il. Faites taire les sirènes et trouvez-moi d'où provient cette fumée.

— À vos ordres, commandant.

La sérénité réfléchie par le regard de Dax, quand elle leva les yeux vers lui, aida le commandant à garder la tête froide. Le vaisseau férengi. Les quais d'amarrage. Les lumières.

— Le faisceau tracteur semble tenir bon, constata-t-elle. Je vais les haler jusqu'aux quais...

— N'oubliez pas que le dix et le douze sont hors de service, rappela-t-il, au cas où cette bribe d'information lui aurait échappé.

Il se tourna vers le maître écran. À première vue le vaisseau férengi semblait intact, mais il savait que c'était la seule énergie du faisceau qui l'empêchait d'éclater en mille morceaux.

Détachant son attention des opérations internes de la station, Sisko frappa les commandes de la console. Il n'y avait aux alentours de la station rien d'autre que le navire des Férengis. Aucun autre qui aurait pu tirer un photon, nulle trace fantôme d'un vaisseau invisible qui serait apparu au moment du tir. Rien n'indiquait qu'il s'était passé quelque chose, sauf les dégâts récoltés par le vaisseau férengi et ces maudites sirènes d'alarme.

Dax toua lentement le vaisseau vers la station.

Les lumières vacillèrent de nouveau, mais ne flanchèrent pas. Puis, d'un seul coup, le faisceau tracteur lâcha.

— Que se passe-t-il ? s'exclama vivement Sisko dans l'air enfumé.

— Le vaisseau est sur le point de se disloquer, annonça Dax.

Sisko tendit le bras, mais les mains de Dax volaient déjà au-dessus de la console, vérifiant avant lui toutes les suggestions qu'il allait lui proposer. Le tableau ne répondit pas. Le faisceau avait tout simplement disparu. Trente secondes qui parurent une éternité.

— Ça n'augure rien de bon, Benjamin. J'ai fait tout ce que j'ai pu pour restaurer le faisceau.

L'alarme, dont le hurlement retentissait avec une fureur accrue, semblait réclamer une action immédiate. Le vaisseau férengi était ballotté dans l'espace comme un bateau par une mer déchaînée.

Sisko se retourna vers Kira, qui occupait toujours le poste de O'Brien, son délicat visage assombri par un froncement de sourcil.

— Verrouillez l'équipage de ce vaisseau et tenez-vous prêts à le transborder ici.

— Faites vite, conseilla Dax, impassible, presque à voix basse. Il ne tiendra plus longtemps.

— Seulement trois occupants à bord, cria Kira, à l'instant même où s'éteignait l'alarme.

Sa voix se répercuta sur les murs, désinvolte, presque effrontée, et hérissa Sisko plus encore que le bruit des sirènes :

— Ne perdez pas de temps, sortez-les de là.

Les doigts de la Bajoranne dansèrent sur le tableau de O'Brien. Le navire, sur l'écran, férengi éclata en morceaux qui s'éparpillèrent dans toutes les directions, comme s'il avait été fracassé par un extraordinaire coup de marteau.

Kira secoua la tête — trop tard, pensait-elle — et Sisko se raidit.

Trois formes scintillèrent sur la petite plate-forme de téléportation. Elles étaient blotties les unes contre les autres et il fallut un certain temps avant que les silhouettes ne se séparent en deux Férengis et un humanoïde, un extraterrestre au crâne aussi lisse qu'une boule. Le Férengi du milieu était un vieillard recroquevillé, dont les gigantesques oreilles laissaient déborder de longs poils blancs. Son visage ratatiné semblait sur le point de se décomposer. Son compatriote était plus jeune et ses oreilles avaient la grosseur d'une main humaine — une taille normale pour un Férengi. Lui et l'humanoïde, un serviteur hupyrien à la peau pâle et au front en saillie, soutenaient fermement le vieillard à la tête de latinum endoré qui s'appuyait sur un bâton de commandement.

Le regard fixe et sinistre du Férengi se posa immédiatement sur Sisko et ses lèvres se tordirent dans un plissement désapprobateur. Un frisson de dégoût parcourut le commandant. C'était Zek. Le Grand Nagus des Férengis. L'équivalent d'un souverain pour ceux de cette race.

Sisko aspira une grande bouffée de l'air enfumé de Ops et se redressa pour accueillir ses hôtes. Que venait faire ici le Grand Nagus ? Et pourquoi ?

— Nagus, fit Sisko avec un léger salut, destiné à témoigner d'un respect qu'il ne ressentait pas. (Le Nagus personnifiait toutes les caractéristiques, bonnes et mauvaises, de la race férengi.) Je suis heureux de vous voir sains et saufs.

— De quel droit osez-vous attaquer notre vaisseau ? s'indigna Krak, le fils du Nagus, qui délaissa Zek pour s'avancer vers Sisko sur la plate-forme. Nous n'étions pas armés et...

— Nous n'avons pas attaqué votre vaisseau, assura Sisko, peu tenté par une dispute avec le leader des Férengis. Nous n'y aurions rien gagné. (Il fit un geste en direction de Ops, où la fumée s'était légèrement dissipée.) Comme vous pouvez le voir, nous avons subi les mêmes problèmes que vous.

— Vraiment ? demanda Zek. On voit que vous n'avez pas perdu un vaisseau, commandant. Qui contenait à son bord une petite fortune en latinum endoré. (Zek s'arrêta pour bien laisser à ses paroles le temps de faire effet.) Avons-nous le même problème ? Avez-vous perdu une fortune en latinum endoré ?

Sisko avait les joues en feu, il lui fallait réagir sans tarder. Le Nagus pouvait mentir et tenter de rendre la Fédération responsable de cette perte d'argent.

— Nous ignorons encore l'ampleur des dommages. Mais le phénomène qui a frappé votre vaisseau a également atteint notre station.

— Peut-être avez-vous donc vous aussi perdu de l'argent, présuma Zek en descendant de la plate-forme, aidé par l'humanoïde.

Sisko ne laissa paraître aucun signe de son soulagement. Si le Nagus croyait qu'ils faisaient face aux mêmes difficultés, il serait moins porté à en rejeter la faute sur Starfleet.

— Avez-vous identifié le coupable ?

Sisko jeta un coup d'œil en direction de Dax, qui secoua la tête.

— Nous n'avons pas encore découvert la cause de cette perturbation, répondit Sisko, mais nous espérons y parvenir bientôt. Kira, trouvez-moi O'Brien immédiatement.

— Bien, commandant.

Elle n'eut pas le temps de rejoindre sa console, le clignotement les lumières recommença. Le courant fut coupé et la station entière fut plongée dans l'obscurité.

Et le cri plaintif des sirènes, une fois de plus, monta.

CHAPITRE 2

Quark mélangeait le dernier drink et allait ramasser son plateau, quand les unités d'éclairage se mirent à papillonner. Il leva la tête. Si ces lumières faisaient encore une fois mine de s'éteindre... Quark avait besoin de lumière. Et d'air frais. Tout devait être absolument parfait.

La jeune fille du Dabo, qui se dirigeait vers l'arrière-salle avec sa commande de liqueurs, passa en trombe près de lui, son petit nez froncé et les lèvres plissées par une expression de dégoût. Quark s'engagea à sa suite en souriant, son plateau à la main. Il lui avait confié les mixtures les plus irrespirables : une flûte de bière mousseuse chaude, qui répandait une odeur de litière de chat fermentée, destinée à la Meepode ; un cordial klingon, à base de moût de semence, duquel s'échappait une âcre fumée grise ; et une crème de réglisse falconienne, où baignaient des larves de vers cuites — quelle horreur ! on devrait les servir froides — et des morceaux de bananes importées, commandée par la Sligiloïde. Le parfum qu'ils dégageaient était à ce point fétide que Rom avait fui en courant, une main sur la bouche, quand Quark avait retiré les consommations du synthétiseur.

Quark apportait des breuvages plus communs : du saké, pour les deux humains assis dans un coin, et de la bière romulanne, pour les Romulans près de la porte, ainsi qu'un sherry bajoran pour le terroriste qui avait réussi à marchander une place dans la partie. Quark passa la porte alors que la fille du Dabo s'enfuyait en courant, les yeux pleins de larmes et sa peau normalement pâle devenue toute verte. Il s'arrêta sur le seuil pour examiner la salle.

Tout était en place pour le plus grand tournoi de Stud-Poker à Sept Cartes jamais tenu dans le secteur. Quark préférait le Dabo, mais c'est le poker qui attirait les vrais joueurs, ceux qui étaient prêts à courir les plus grands risques.

Dix tables, dont les tapis de feutre vert avaient été superbement confectionnés selon les exigences précises de Quark, et comptant chacune huit fauteuils, occupaient la salle. Il mûrissait ce projet — la plus importante partie de poker du quadrant — depuis plusieurs années, bien avant la prise en charge de la station par la Fédération ; il avait dû le mettre en berne, jusqu'au jour où il avait appris que les humains — même ceux qui portaient un uniforme de Starfleet — adoraient les jeux de hasard. Certains des meilleurs officiers de Starfleet étaient connus dans tout le quadrant pour leur habileté au poker. Quark les avait tous invités. Les vaisseaux stationnés sur les quais avaient été informés de la tenue de cette partie et le Férengi avait embauché à grands frais des donneurs d'expérience, afin que les joueurs professionnels soient enclins à croire qu'elle se déroulerait dans les règles. Et c'était vrai, en bonne partie. Personne ne saurait qu'il amasserait, grâce aux recettes de la maison et la fraude fiscale, plus de latinum endoré que dix Férengis ne pouvaient en transporter.

Le tournoi devait commencer le matin suivant. Aujourd'hui, les participants étaient invités à se familiariser avec les lieux et à se faire la main — Quark s'étant bien sûr assuré que la maison toucherait sa « juste » part des gains. Trois parties étaient en cours aux tables du fond. Quark s'empressa vers la première, où il devait servir la plupart de ses drinks. Il déposa le saké devant

Harding, un humain au crâne reluisant qui mâchouillait un cigare férengi pas allumé.

Harding plaqua ses cartes contre sa poitrine et prit la petite bouteille de vin de riz.

— Hé ! protesta-t-il. Il n'est pas chaud !

— Vous n'aviez pas précisé qu'il devait l'être, se défendit Quark. Votre ami, ajouta-t-il en déposant une seconde bouteille devant l'autre joueur de race humaine, a demandé le sien frais.

Retirant le cigare de sa bouche, Harding se pencha vers son compagnon, Klar, un homme grand et mince, à la chevelure argentée et au regard froid. Harding avait passé une bonne partie de l'après-midi à persuader Quark de laisser Klar prendre part au jeu. Le Férengi désirait avoir l'assurance que ce dernier possédait les qualifications requises pour participer à un tournoi de niveau professionnel. Le paiement des frais d'inscription de cent barres de latinum endoré, plus dix pour cent, avait finalement fléchi sa résistance.

Klar prit sa bouteille, retira la petite tasse du plateau et y versa le vin de riz, qu'il but à petites gorgées, sans un mot. Harding grimaça.

— Tu n'apprendras donc jamais, pas vrai ? dit-il en pointant son cigare en direction de Klar. Il n'existe pas de meilleur tabac que les cigares férengis, mais on le gaspille quand on les allume, comme tu l'as fait ce matin. Aucun alcool ne surpasse le saké japonais — quand il est chaud, pour qu'il passe plus vite dans le système...

— Je ne suis pas pressé, répliqua Klar d'une voix lente et mesurée, aussi glaciale que son regard. Je veux garder l'esprit alerte. Nous sommes ici pour jouer au poker, l'aurais-tu oublié ?

— Difficile de ne pas s'en souvenir après la petite scène de cet après-midi, grommela Harding.

La Romulanne assise à côté d'eux tapota ses jetons de ses longs doigts. Elle s'appelait Naralak et était venue seule. Quand Quark posa la bière romulanne devant elle, elle ignora souverainement le breuvage, tout comme lui d'ailleurs.

Les autres joueurs présents autour de la table — le grand Irits au visage d'obsidienne dépourvu de traits et le Grabanster replet, avec son épaisse fourrure orange et son odeur de chien mouillé — feignaient d'étudier leur jeu.

— Je suis le meilleur joueur de tout le quadrant, dit Naralak d'un ton moqueur, répétant les paroles que Klar avait prononcées en prenant place à la table. « Impossible de tenir un tournoi de poker sans moi », l'imita-t-elle encore, avant d'éclater de rire. De nombreux tournois se sont déroulés sans vous, Monsieur Klar. Et je parie qu'il y en aura beaucoup d'autres, à en juger par cette dernière partie.

Quark examina les jetons. La pile qui s'élevait devant Naralak était deux fois plus importante que celles des autres joueurs.

— Je vous ai à l'œil, l'avertit Klar en se versant une autre tasse de saké. Vous avez une chance comme on n'en voit pas souvent.

— Allons, allons, intervint Quark, avec une légère révérence, mais prenant soin de ne pas renverser les verres de son plateau. Ce ne sont que des parties de réchauffement. Elles n'ont rien à voir avec la partie de demain.

— Sauf peut-être de nous révéler tout de suite la médiocrité du jeu de nos adversaires, dit Naralak en souriant à Klar, qui demeura de glace.

Quark s'éloigna d'eux pour s'approcher de la table suivante, où le Bajoran Pera avait amassé un imposant tas de jetons. Il arborait un curieux rictus, qu'une série de minces cicatrices blanches descendant le long de son visage — souvenir des tortures cardassiennes — rendait plus énigmatique encore. Pera affirmait n'avoir jamais appartenu à aucun groupe terroriste, mais ses stigmates démentaient ses dires. Quark déposa le sherry devant lui, puis quelques bières romulannes en face de ses camarades.

La réputation des deux Romulans, Darak et Kinsak, tenait autant à leur adresse au poker qu'à leur tempérament bien connu. Quark avait essuyé leurs remontrances pour avoir permis à des Klingons de participer au tournoi. Il leur avait répondu que tous avaient le droit de jouer, sans égard à leur appartenance raciale, en autant qu'ils possédaient de bonnes références et suffisamment de latinum endoré.

La Sligiloïde était assise seule au bout de la table, son corps élancé recouvert de fines écailles couleur pastel. Quand Rom l'avait effleurée, au moment de son inscription, sa peau avait scintillé d'une brillante lumière bleutée et elle l'avait si vertement invectivé, dans sa langue natale, que Rom avait ensuite refusé de l'approcher.

— Vous ne m'avez rien apporté, Monsieur Quark ? demanda l'humaine assise derrière Klar.

Quark lui sourit. Il l'avait remarquée dès son entrée. Elle portait une robe taillée dans un tissu diaphane rose si fin qu'il révélait plus de sa voluptueuse silhouette qu'il n'en cachait. Elle tenait un tribble au creux du bras, ce qui avait causé tout un émoi lors de son arrivée sur les quais. Odo lui avait refusé l'accès de la station, jusqu'à ce que Bashir se fût assuré de la bonne santé de la boule de poils.

— Je suis désolé, mademoiselle Jones, s'excusa Quark en se penchant au-dessus d'elle, ce qui lui permettait, en inclinant correctement le cou, une vue intéressante sur la naissance de ses seins, mais vous n'aviez rien commandé.

— Hmm, fit-elle en se coulant dans le fauteuil. La bière romulanne semble pas mal.

Quark fit une profonde révérence. Il pouvait tout voir jusqu'à son nombril.

— En effet, répondit-il. Pas mal du tout.

Une main qui s'abattit lourdement dans son dos lui zébra le corps de douleur jusqu'au bout des orteils. Quark se redressa. Un humain de taille imposante, la tête dégarnie, se tenait derrière lui, une espèce de sourire flottant sur ses traits irréguliers. Berlinghoff Rasmussen. connu dans toute la galaxie pour sa fourberie, à commencer par cette fois où il avait débarqué sur l'*Entreprise*, venu du passé, et avait prétendu arriver de l'avenir.

— Je crois que cette dame désire une boisson, insista Rasmussen.

Quark opina du chef. Il préférait éviter de se brouiller avec ses hôtes si tôt dans les réjouissances.

— Une bière romulanne, donc. Puis-je vous offrir quelque chose, monsieur ?

Rasmussen resta un moment silencieux, puis déploya un large sourire :

— Apportez-moi une bière à moi aussi, mais une bière humaine. Une irlandaise brune, de la fin du dix-neuvième siècle terrestre — que vous me servirez tiède.

Quark grimaça. Il détestait les buveurs au palais fin.

— La préférez-vous mûrie dans un tonneau de bois ou un baril d'étain ?

— Excellent ! s'exclama Rasmussen. Mais vous n'y êtes pas tout à fait. On a commencé à accorder de l'importance à la conservation seulement au début du vingtième siècle...

— Vous êtes le serveur ? demanda une voix d'homme derrière Quark.

Il se retourna le plus vite que le lui permettait la politesse, heureux d'en finir avec Rasmussen, dont l'inextinguible faconde était bien connue. Le petit homme à la mine sombre assis à la table des Romulans qui l'avait interpellé portait une épaisse barbe noire et de longs cheveux qui descendaient sur les épaules et jusque dans son dos. Sergei Davidovich.

— Je veux de la vodka anubienne. Apportez la bouteille.

— Bien, monsieur.

Quark s'éloigna de la table en vitesse et, arrivé au milieu de la salle, leva le bras et claqua les doigts. La croupière du Dabo roula de grands yeux, derrière le bar, mais répondit à son appel.

Quand elle fut près de lui, il lui transmit la commande à l'oreille.

— Ça ne va pas empester, dites ? s'inquiéta-t-elle en regardant vers la dernière table occupée.

Quark suivit son regard. La Meepode, une créature dotée de cinq bras, à la peau flasque, venait de vider son verre, alors que les Klingons près d'elle sirotaient les leurs.

— Pas si vous faites vite, dit Quark.

La croupière fila hors de la salle. Quark prit une grande respiration et se dirigea vers l'autre table. Il entrevoyait déjà des problèmes. Deux Klingons, Xator et Grouk, tournaient le dos à la première table à laquelle Quark s'était arrêté, et Naralak se trouvait immédiatement derrière eux. Quark se tordit les mains. Il savait depuis longtemps qu'il y serait contraint, mais il n'était pas enchanté par la perspective de voir des Romulans jouer contre des Klingons. Lors du dernier tournoi de poker du quadrant, deux de ceux-ci avaient été assassinés par des Romulans.

Il lui était cependant impossible de faire quoi que ce soit sans attirer l'attention sur ce problème et il lui faudrait continuer de se faire du mauvais sang en silence. Autre mauvais présage, Baun, un de ses hommes, faisait partie de cette tablée, et sa pile de jetons était d'une modicité désolante. Quark poussa un soupir. Demain, tout irait mieux.

Beaucoup, beaucoup mieux.

Quand Rom entra en courant avec la commande passée à la croupière du Dabo, Quark fronça les sourcils. Elle aurait droit à une sévère remontrance pour avoir fait exécuter son travail par Rom. Quand le regard de la jeune fille croisa le sien, celle-ci agita trois doigts de sa main droite dans sa direction et referma la porte de l'arrière-salle.

Compris. Difficile de signifier plus clairement qu'elle n'était pas disposée à faire son travail.

Une poignée de nouveaux joueurs se mêla aux autres. Deux autres Klingonnes — des fautrices de troubles de la maison de Duras — discutaient avec un Freepery à la toison abondante, tandis que son autre « taupe », Nam, essayait de se coller contre une humaine, près de la table dressée pour le buffet. Un Totozoïde à la morphologie tentaculaire, qui avait demandé des pauses d'une demi-heure afin de pouvoir humecter ses ouïes, se tenait tout ruisselant sur le tapis près de la porte.

— Quelle brillante assemblée.

Quark n'eut pas besoin de lever les yeux, c'était la voix de Rasmussen. Une fois de plus. Quark soupira. Il lui faudrait supporter ce type durant toute la semaine.

— En effet, dit-il, et tout le monde n'est pas encore arrivé.

— Je suis étonné par tous ceux qui sont là. Tout le monde sait que Naralak utilise un système chiffré pour tricher. Darak et Kinsak ne se sont pas retrouvés dans la même salle qu'elle depuis le grand Challenge de Poker sur Risa, voilà maintenant deux ans. Pera est prêt à se mêler de n'importe quel trafic de contrebande, pourvu que ça profite à Bajor...

— Je connais tous les joueurs, dit Quark.

— Dans ce cas, je suis surpris que vous les ayez invités, déclara Rasmussen, avec ce sourire fat qui donnait toujours au Férengi l'envie de lui écrabouiller le visage. Tous sont au courant que Cynthia Jones ne peut pas blairer les Grabansters. Bon sang, ils *mangent* les tribbles ! Des Klingons et des Romulans dans la même salle... Heureusement qu'il n'y a pas de Cardassiens, avec Pera ici...

— Nous verrons demain, dit Quark en s'éloignant de lui.

Il n'ignorait évidemment pas les tensions qui existaient, et en savait probablement plus encore que Rasmussen. Harding était recherché sur Sift IV pour voies de faits et Sergei Davidovich avait décapité la conjointe d'un Irits dans le feu des moments ultimes d'une partie de stud dans la Ceinture de Miridious. Il espérait simplement que les joueurs oublieraient leurs différends en cours de partie.

Rom, son plateau sous le bras, pressa le pas vers Quark.

— La Meepode désire une autre consommation, lui murmura-t-il à l'oreille. Et la fille du Dabo refuse de faire le service.

Quark allait se tourner vers Rom pour l'aviser que cette employée serait renvoyée, quand tout devint noir dans la salle. Les mots qu'il allait prononcer moururent dans sa gorge.

La station fut secouée en tous sens. Quark dut s'agripper à un fauteuil pour ne pas tomber.

On entendit fuser des jurons dans une douzaine de dialectes. Dans les couloirs, les sirènes d'alarmes se déclenchèrent.

Quark écarquilla les yeux, pour tenter de percer l'obscurité. Que se passait-il ? La station était-elle attaquée ? Comme ça, sans avertissement, ni aucuns préparatifs ? Personne ne lui avait rien dit. Sisko aurait de ses nouvelles ! Sisko et toute la Fédération !

L'intensité des secousses diminua. Quark reprit son équilibre et prit une grande respiration. Peut-être avaient-ils simplement heurté quelque chose. Ou bien était-ce une simple défaillance du fonctionnement interne. Peut-être rien du tout. Juste un petit problème technique.

Il s'essuya le front du revers de la main. Les contrôles environnementaux automatiques devaient eux aussi avoir flanché. Une chaleur accablante avait subitement envahi la pièce.

Cette chaleur rendit intolérable l'odeur de chien trempé du Grabanster, et Quark crut discerner une odeur de fumée. Sentant son estomac se nouer et la panique monter, il s'efforça de maîtriser ses émotions.

Rien de pire ne pouvait arriver. Rien. La rumeur se répandrait dans le secteur que le Quark's n'était qu'un bouge sans envergure, incapable d'accueillir convenablement un tournoi.

— Je vous en prie, je vous en prie, hurla-t-il au-dessus du tumulte. Restez à vos place. Les lumières de secours vont s'allumer d'un moment à l'autre.

C'est du moins ce qu'il espérait. Il n'était même pas sûr que le bar était équipé d'un système d'éclairage d'urgence.

Il tendit le bras vers la gauche, souhaitant que Rom n'eût pas bougé. La chair froide et plissée que ses doigts rencontrèrent lui était familière.

— Trouve-moi O'Brien au plus vite, chuchota-t-il avec le plus de fermeté possible. Je veux savoir ce qui arrive. Je ne tolérerai aucune interruption de cette partie.

— Mais je n'y vois pas plus que toi, se plaignit Rom, d'une voix qui avait tout du gémissement humain.

Rom avait contracté trop de mauvaises habitudes au contact de toutes ces bonnes âmes de la Fédération qui avaient envahi la station, alors que de saines manières déloyales lui avaient auparavant été inculquées par les Cardassiens.

— Ça m'est égal que tu y vois ou non. Trouve-le, c'est tout, gronda-t-il en poussant Rom vers la porte sans ménagement.

Il entendit son frère buter contre un fauteuil et jurer, puis tonner un second blasphème, suivi d'un bruit sourd. On entendit le sifflement de la porte qui s'ouvrait. Parfait. Rom mettrait la main sur O'Brien et tout rentrerait bientôt dans l'ordre.

Une goutte de sueur qui avait roulé dans les plis de son front lui causait une irritante démangeaison.

— Encore une fois, je vous prie de garder votre calme, supplia-t-il, espérant ainsi apaiser les protestations. Ce ne sera plus très long, maintenant.

— Ça vaudrait mieux, fit une voix féminine.

Une autre femme poussa un cri aigu, le bruit d'une gifle claqua dans les ténèbres.

Le bruit des sirènes, de l'autre côté de la porte, ressemblait à des cris de détresse. Le babil incessant du Grabanster près de lui donnait envie à Quark de lui dire de la boucler, mais comme il avait vu la couleur de son latinum endoré... Inutile de se mettre un client à dos avant le début d'une grosse partie.

— Vous avez touché à mes cartes, fit une voix caverneuse, avec un fort accent.

Quark ne put déterminer s'il s'agissait d'une voix masculine ou féminine, férengi ou extraterrestre. Cette obscurité lui était insupportable. Il essaya de se rendre dans la direction d'où était montée l'exclamation outragée, pour tenter d'éviter toute accusation de tricherie avant que le tournoi ne commence.

— Mais pourquoi aurais-je fait cela ? répliqua une voix monocorde que Quark attribua à un Terrien. Je ne peux rien voir de vos cartes ni de vous.

Les paroles provenaient d'une section derrière le Férengi. Tous s'étaient tus. On n'entendait plus que les alarmes, qui cacardaient comme des oies davésiennes.

— Bas les pattes, avertit la première voix, sans quoi je...

— Messieurs, messieurs, s'empressa de les calmer Quark, en souhaitant qu'il usait du ton approprié. (La table était juste devant lui et son pied frappa violemment un fauteuil, duquel s'échappa un grognement.) De grâce. Les lumières vont se rallumer d'un moment à l'autre et nous pourrons recommencer à jouer.

— Je vous ai dit de ne pas toucher à mes cartes.

Un fauteuil fut renversé dans un grand bruit et quelque chose s'écrasa avec fracas sur une table. Quark ferma les yeux. Son beau tournoi... Des cris et des hurlements s'élevèrent dans une douzaine de langues, si fort que le bavardage tout près de lui ressemblait aux couinements d'une souris.

Un second fauteuil tomba, puis un autre encore, et on entendit le bruit mat de poings s'enfonçant dans la chair. Quark tendit la main et attrapa un bras écailleux. La Sligiloïde brilla d'une lueur phosphorescente bleue stroboscopique qui illumina un instant la salle : vingt-deux humains et extraterrestres étaient agglutinés autour des tables, certains debout, mais la plupart toujours à leur place. Baun gardait ses cartes serrées contre sa poitrine et ses oreilles, plutôt petites pour sa race, étaient agitées d'un mouvement convulsif. Une bonne note pour lui. Il protégeait son jeu, même au milieu des avatars de cette ronde de pratique.

Dans un claquement des lèvres plutôt pénible, la Sligiloïde but une grande lampée. Quark fila en douce. La clarté stroboscopique s'éteignit et un parfum de soufre remplit l'air. La lumière n'avait révélé aucun combat, mais le sourd martèlement ne cessait pourtant pas.

Quark contourna la Sligiloïde en prenant bien soin de ne pas la toucher de nouveau — cela les mettait en colère — et avança dans la direction du son. Il heurta un autre fauteuil quand les lumières se rallumèrent.

La clarté lui fit cligner des yeux. Les gouttes de sueur qui s'étaient glissées dans les plis de son front tombèrent et lui brûlèrent les yeux. Il les frotta avec impatience puis balaya la salle du regard.

Près de la porte, une table et tous ses fauteuils avaient été renversés. Sergei Davidovich et la Meepode avaient roulé par terre et la créature martelait Davidovich de coups. Lui ripostait avec vigueur, en lui frappant la poitrine à grands coups de tête.

— Arrêtez-les, cria Quark dès qu'il vit la bagarre.

Quand le Klingon Xator et Kinsak, le Romulan, eurent séparé les opposants, Xator poussa un grognement à l'intention de Kinsak, qui fronça les sourcils et grimaça. Quark se hâta d'aller s'interposer entre eux.

— Merci à vous tous, dit-il en les écartant l'un de l'autre. Merci beaucoup.

Davidovich avait le visage ensanglanté, la moitié de sa barbe avait été arrachée. La peau de la Meepode avait viré au vert. Quark ne se rappelait pas son nom, seulement qu'il était imprononçable.

— Je devrais vous expulser du jeu tous les deux, leur lança-t-il, imprimant ainsi dans tous les esprits l'idée que l'on trichait ici.

Tout serait beaucoup plus difficile, à présent. Ils seraient tous sur leurs gardes.

La Meepode essuya sur son ventre un liquide noirâtre qui s'en écoulait, afin de dégager la bouche cachée dans les replis de chair formant ce qui aurait été la poitrine chez un Férengi. Elle n'était plus immobilisée par Kinsak, qui l'avait relâchée pour se protéger de Xator.

— Il essayait de regarder dans mon jeu, protesta la Meepode d'une voix caverneuse. Je l'ai senti.

— Mais c'est impossible ! Nous n'étions même pas à la même table ! riposta Davidovich, que Xator tenait devant lui comme un bouclier en continuant de grogner contre Kinsak.

— C'est donc que vous trichez pour le compte de quelqu'un d'autre ! continua la Meepode. J'ai senti votre main poilue sur ma peau.

Quark demeurait toujours entre eux, pour les séparer. Le fluide noirâtre avait une odeur de chair putréfiée. Une autre goutte de sueur s'immobilisa dans les rides de son front.

— Ça suffit, ordonna-t-il. Je ne tolérerai pas ce genre de comportement dans mon établissement. Est-ce bien compris ?

— Quark ! cria Baun depuis le fond de la salle.

Cette andouille d'espion. Ne savait-il pas qu'il devait éviter d'attirer l'attention ? Quelqu'un aurait pu se douter qu'il travaillait pour lui.

— Je suis occupé, répondit Quark sans se retourner.

— Quark !

Une chape de silence était tombée sur la salle. Même Xator avait cessé ses grognements. Les sirènes s'étaient tues mais leur écho retentissait toujours dans les oreilles du Férengi. La sueur coula de sa proéminente arcade sourcilière dans son œil gauche. À présent, les deux yeux lui piquaient.

— Quark !

Baun avait une intonation que le Férengi avait déjà entendue — quand il se départait de ses airs niais pour devenir un joueur de cartes aguerri. Il s'était passé quelque chose.

Lentement, Quark se retourna. Naralak gisait dans son fauteuil, ses yeux plissés par la douleur à jamais ouverts. Son sang vert répandu sur la table se mêlait à la jolie couleur du feutre et avait éclaboussé les murs et les fauteuils tout autour. Baun se tenait à ses côtés, une main posée sur son épaule. Un des couteaux du Quark's, qui servait exclusivement pour les plats d'ilami férengi froid, était planté dans sa poitrine.

— Je croyais pouvoir l'aider, dit Baun, mais elle était morte depuis trop longtemps déjà.

Les Klingons se massèrent autour d'eux comme des vautours sturgans.

— Elle est bien plus belle comme ça, commenta B'Etor de la maison de Duras.

— L'avez-vous touchée ? demanda Quark à Baun, essayant de ne rien laisser paraître de l'espoir qu'il nourrissait.

Si Baun avait effectivement touché la Romulanne, deux problèmes seraient résolus : devenu suspect, il serait expulsé du tournoi, et les joueurs pourraient continuer la partie l'esprit tranquille, puisqu'ils auraient un coupable. Quark n'aurait plus qu'à lui trouver un remplaçant, un peu plus discret cette fois.

— Quark, se navra Baun, sur ce ton paternaliste que le Férengi ne pouvait supporter, pourquoi aurais-je touché un cadavre tout à fait mort ?

Les autres Romulans se tenaient près de la table, en face des Klingons, le regard fixé sur la femme morte.

— Si c'est vous autres qui l'avez tuée, Klingons, dit Kinsak, je m'assurerai que notre gouvernement soit informé de votre crime.

Lursa partit d'un grand éclat de rire.

— Comme si vous étiez en bons termes avec le gouvernement romulan.

Le Irits interrogea la scène du regard.

— C'est... un... événement... tout...à... fait... malheureux... Peut-être... un... assassin... a-t-il... perdu... la... raison. Nous... allons... tous... mourir.

— Allons donc, personne ne va mourir ! lança Quark. (Quelle idée stupide. Ses joueurs n'avaient nullement besoin de penser à cela en plus.) Il s'agit d'un simple accident.

— Un accident qui tombe plutôt bien, fit observer la Meepode.

— Eh bien, vous n'avez pas été d'un grand secours, rétorqua sèchement Quark. Comment puis-je savoir que votre altercation ne servait pas à couvrir quelqu'un ?

D'un mouvement qui lui était visiblement douloureux, la Meepode se redressa de toute sa hauteur.

— Les Meepods n'aident jamais personne, s'offusqua-t-elle.

— Je crois que nous avons un petit problème, dit Cynthia Jones, dont le tribble n'avait pas émis le moindre son. Nous ne pouvons pas jouer demain avec un cadavre dans la pièce.

— En effet, l'approuva Quark, qui se racla la gorge.

Il contourna les tables jusqu'au cadavre de la Romulanne. Le sang avait pénétré dans le feutre et la tache ne se remarquait pas *tant que ça* — mais quelqu'un devrait nettoyer les murs. Pauvre Rom. Quark souhaita que son frère n'eût aucun projet pour la soirée, parce qu'il lui faudrait en faire son deuil.

— Il faudra évidemment avertir Odo, mentionna Baun. Je pense...

— Vous pensez trop, coupa Quark, puis il sourit. Bien sûr que j'aviserai Odo, le chef de la Sécurité.

Mais rien ne presse, songeait-il.

Quark sourit à tous ceux qui étaient rassemblés autour de lui.

— Nous reprendrons la partie demain, comme prévu. Vous êtes venus de loin pour participer à ce tournoi et vous ne vous laisserez pas abattre par ce petit incident.

— Nous allons jouer avec un tueur déchaîné parmi nous ? s'étonna Baun.

Quark l'aurait trucidé.

— Rien ne peut déranger un joueur durant une partie, affirma-t-il, et tous hochèrent la tête autour de la table. Vous êtes libre de vous retirer, Baun. Je trouverai certainement quelqu'un pour vous remplacer.

Baun fronça les sourcils. Personne ne semblait particulièrement contrarié par la tournure des événements. L'attention de Kinsak était toujours accaparée par Xator, et Darak, l'autre Romulan, gardait les yeux vissés sur ses cartes. Apparemment, Naralak ne possédait pas beaucoup d'amis, même parmi les siens. Quelle chance... Quark réprima un sourire. Il adorait les joueurs professionnels.

— Eh bien, dit lentement Baun, dans ces circonstances... (Il se laissa tomber dans un fauteuil vide.) Vous allez avertir Odo, n'est-ce pas, Quark ?

— Mais bien sûr, répondit le Férengi.

En temps et lieu, cependant, c'est-à-dire *après* la partie. Il ne restait plus maintenant qu'à dissimuler le cadavre et les participants oublieraient l'incident.

Rom aurait dû être déjà revenu. Son bon à rien de frère n'était jamais là quand Quark avait besoin de lui. Il devrait transporter lui-même le corps jusque dans l'entrepôt de marchandises. Impossible de confier cette tâche à Baun, tout le monde aurait su qu'il travaillait pour lui.

Quark plissa le front. Il avait toujours rêvé de toucher une Romulanne, mais pas de cette façon. Il se pencha au-dessus du corps et saisit les bras de Naralak.

— Ne serait-il pas préférable d'attendre que..., commença Baun.

— Il la verra bien assez tôt, répliqua Quark avec dureté.

Il glissa son épaule sous le ventre de Naralak et la souleva. Son sang visqueux, qu'il sentit s'infiltrer sous son chandail neuf — celui qu'il avait gardé spécialement pour cette occasion — exhalait une odeur de cuivre. Ses mains et ses pieds traînaient sur le plancher. Elle était lourde. Les femmes férengis n'atteignaient jamais un tel poids.

Il ferma les yeux et s'efforça de penser à tout l'argent qu'il allait récolter. Des gains de cet ordre rendaient tout possible. Il rouvrit les paupières et s'achemina vers l'entrepôt. Chaque pas lui arrachait un petit grommellement.

Quark avait presque atteint la porte lorsqu'elle s'ouvrit. Il leva les yeux.

Odo apparut dans l'encadrement, avec son air renfrogné habituel plaqué sur son visage inachevé.

Le poids que Quark portait sur ses épaules lui sembla subitement vingt fois plus lourd.

— Ça par exemple, siffla Odo, d'une voix qui fit frémir le Férengi. Que se passe-t-il ici ?

CHAPITRE 3

Pressé de rejoindre Ops, l'ingénieur en chef O'Brien ajusta les manches de son uniforme. Il faut pourtant bien souffler un peu, de temps en temps. Était-ce sa faute si Keiko était arrivée dans leurs quartiers au même moment que lui ? Ils ne s'étaient pas vus depuis presque deux jours, à cause de leurs quarts de travail différents, et Molly passait l'après-midi chez une copine. O'Brien avait laissé son commbadge sur une chaise de la salle de bain, avec le reste de ses vêtements. Ce n'était tout de même pas un crime. Il avait une permission de vingt-quatre heures, bon sang. Keiko et lui avaient tout éteint dans les quartiers, il n'avait évidemment pas remarqué le clignotement des lumières. Kira n'avait pas le droit de se fâcher contre lui. Il était en congé.

La faible clarté du couloir donnait aux poutrelles sans peinture une apparence étrange. Les sirènes d'alarme, et aussi la verte réprimande de Kira, retentissaient encore dans ses oreilles. Sapristi, il n'était pas à sa botte. Il le lui rappellerait si elle lui tombait encore sur le dos quand il arriverait sur Ops.

Il en aurait d'ailleurs bien assez sur les bras, à en juger par la dernière panne de courant, survenue au moment où il sortait de ses quartiers. À peine réveillé, dans la pénombre obscure, il s'était d'abord cru dans un couloir de l'*Entreprise*. Pas de chance. Même dans les pires situations, l'*Entreprise* n'avait jamais ressemblé au désastre d'ingénierie avec lequel O'Brien devait quotidiennement composer sur Deep Space Neuf. Et s'il devait se fier au ton dont Kira avait usé, cette catastrophe permanente s'était encore sensiblement aggravée.

Près du turbolift, un Férengi et un humanoïde accompagnaient un vieux Férengi. Le Nagus. Comme si les problèmes d'ingénierie n'avaient pas suffi. O'Brien les salua d'un signe de tête, s'efforçant de ne rien laisser paraître de son étonnement à la vue des abondantes touffes de poils blancs qui se répandaient hors des énormes oreilles du Nagus. Les Férengis avaient le don de lui mettre les nerfs en boule. Leur avarice déclarée et sans réserve lui donnait la même impression que s'ils s'étaient promenés tout nus en public. Les principes conservateurs dans lesquels l'ingénieur avait été éduqué se hérissaient contre une attitude aussi éhontée.

Le turbolift était imprégné de ce parfum de naphtaline que les Férengis semblaient tant apprécier. Il s'y mêlait, dans une chaleur étouffante — indiquant une nouvelle panne des systèmes environnementaux —, une odeur de fils brûlés qui rebuta O'Brien. Il se serait volontiers passé d'utiliser cet ascenseur, mais s'y résolut néanmoins, espérant qu'à son arrivée sur Ops la migraine qui menaçait de se déclarer aurait disparu.

Comme il s'y attendait, Ops était sens dessus dessous. Un fin brouillard de fumée remplissait la salle, qui apparaissait à travers un voile grisâtre, et s'était massé dans la voûte, à hauteur des baies, bloquant la vue que O'Brien aimait tant. Ici, l'odeur de roussi était plus forte et des sections du filage laissaient fuser des étincelles près de l'unité de téléportation située à proximité de sa console. Le bureau de Sisko était plongé dans l'obscurité la plus complète — une chose qui n'aurait jamais dû arriver. Sur toutes les consoles, des voyants clignotaient.

Sisko assurait le service d'un des postes de contrôle, pendant que Dax se démenait au-dessus de la console scientifique. Le commandant leva la tête et le salua sans un mot, pendant qu'il grimpait en vitesse les escaliers menant au poste d'ingénierie, occupé par Kira.

Elle se leva et, les yeux plissés, posa sur O'Brien un regard sévère.

— Nous avions besoin de vous ici, monsieur, lui lança-t-elle.

Une demi-douzaine de voyants s'allumèrent sur le panneau juste comme il arrivait. Ce n'était pas le moment de se confondre en excuses ni de se disputer avec le major. Il passa devant elle et se pencha sur la console.

Pour l'instant, tous les systèmes principaux restaient opérationnels, les systèmes environnementaux et d'alimentation inclus, mais il lui faudrait une bonne partie de la journée pour recalibrer les processeurs et certains autres systèmes moins essentiels. Rien qui ne pouvait attendre qu'il ait d'abord trouvé la cause de ces dérèglements.

— Je viens de repérer ce qui reste du vaisseau férengi, annonça Dax. (Sa voix basse, si calme, lui fit réaliser le silence qui pesait sur Ops.) Il se maintient sur une orbite sécuritaire, à distance respectable de la station. Je le garde sur ce tracé pour récupération ultérieure.

Un vaisseau férengi ? Il s'était passé beaucoup de choses depuis qu'il avait rejoint ses quartiers.

— C'est ce vaisseau qui a causé tout ceci ? demanda O'Brien.

— Quel que soit le phénomène qui nous a secoués, il a détruit leur vaisseau, et quand nous avons essayé de verrouiller le navire, le faisceau tracteur a lâché, l'informa Dax.

Un problème de plus, qui lui procura cependant un certain soulagement. Les défaillances techniques de la station étaient dues à un facteur extérieur. Avec les systèmes cardassiens, si lamentables, O'Brien avait craint qu'elles ne soient causées par le bris d'un connecteur important, dont il ignorait même l'existence.

— Vous ne savez pas ce qui est arrivé ? demanda O'Brien.

— Non, répondit Kira sur un ton sec, d'un poste voisin qu'elle utilisait pour appeler des secours supplémentaires sur la passerelle. Mais ce qui nous a frappés devait être gigantesque. Une très vaste zone a été touchée.

— Avez-vous une idée de ses dimensions ?

Peut-être O'Brien aurait-il pu déterminer la manière la plus rapide de résoudre les difficultés s'il avait connu l'origine de cette perturbation.

— Nous avons reçu des rapports d'aussi loin que Bajor, dit Dax.

— Aucun indice sur sa localisation ? Ou sur sa source ?

— Pour l'instant, répondit Dax en secouant la tête, nous ne savons même pas de quoi il s'agit.

— Bon, fit O'Brien, peut-être que les dommages subis nous donneront un indice sur la nature de ce phénomène. Nous pourrons éliminer un certain nombre de possibilités en étudiant les schémas de destruction.

— Mettez-vous au travail, dit Sisko.

— Il faudrait d'abord rétablir le fonctionnement des systèmes, objecta Kira.

O'Brien ne réussirait jamais à s'habituer à la rudesse des Bajorannes. Il s'était souvent demandé comment il se faisait que Sisko, un commandant de Starfleet, tolérait un ton si peu protocolaire.

— Eh bien, major, lui répondit Sisko avec une gravité teintée d'humour, je crois que vous devrez vous-même vous occuper d'analyser les dommages en question.

O'Brien retint un sourire. Il commanda à l'ordinateur de dépister les déficiences du système et de définir les affectations d'opérations. S'il pouvait laisser les tâches les plus aisées à son personnel de soutien, il lui serait possible de se concentrer sur les problèmes les plus importants, tel le rayon tracteur.

Il se frotta le front. La fumée avait empiré son mal de tête et il ressentait des picotements dans la gorge. Peut-être ferait-il bien de s'occuper d'abord des synthétiseurs. Il avait besoin d'un café.

— Une communication des Cardassiens, annonça Kira.

O'Brien sentit un frisson lui parcourir la nuque. Les Cardassiens. Avaient-ils trouvé un moyen de mettre la station hors service sans se faire repérer ? Il activa trois programmes diagnostiques avec ce scénario en tête.

— En visuel sur le maître écran, ordonna Sisko, qui se leva et s'avança jusqu'au pupitre des opérations.

Un visage cardassien inconnu de O'Brien remplit l'écran ; ses protubérances et ses replis menaçants, les grands yeux et les lèvres affaissées attisèrent l'anxiété de O'Brien.

— Je suis le commandant Benjamin Sisko, capitaine, salua Sisko d'une voix aux inflexions profondes, empreintes d'autorité. C'est moi qui dirige Deep Space Neuf.

— Je vous connais, Sisko, répliqua le capitaine, sans plus de préambule. Je veux savoir si votre attaque contre nos vaisseaux était intentionnelle.

— Je peux vous assurer que nous n'avons rien à voir avec une quelconque offensive contre les vaisseaux de votre flotte, capitaine. Vérifiez vos senseurs et vous découvrirez que cette interruption a affecté un important secteur près du trou de ver.

— Nous ne décelons aucun dommage significatif causé à votre station, commandant, alors que deux de nos navires ont été mis hors d'usage, tandis que le noyau de distorsion d'un troisième a été atteint. Tous les relevés indiquent une perturbation subspatiale venue de ce système-ci. J'attends vos explications.

— J'aimerais pouvoir vous les donner, croyez-le. Nous venons tout juste de subir une panne d'alimentation et d'éclairage, voilà peu.

Le Cardassien approcha son visage de l'écran.

— Nous avons respecté nos ententes avec la Fédération malgré les incursions des terroristes bajorans dans notre territoire et l'activité accrue générée par le trou de ver. Cette entente ne tient plus à partir du moment où vous attaquez notre flotte.

Les mains de O'Brien serrèrent avec force les rebords de la console. La colère rendait les Cardassiens plus laids encore qu'à l'ordinaire. Sisko joignit les mains derrière le dos et prit une grande respiration.

— Nous n'avons pas attaqué votre flotte. Nous sommes tous deux soumis à un phénomène qui exerce son action sur nos installations. Nous faisons ici tout ce qui est en notre pouvoir pour en découvrir la cause.

Un sourire se figea sur les lèvres du Cardassien, qui ne se refléta pas dans son regard.

— Poursuivez vos investigations, commandant. Mais j'espère que vous trouverez une explication satisfaisante. Car je vous préviens : si ces agressions continuent, elles seront considérées comme un acte de guerre.

L'écran s'éteignit et Sisko fronça les sourcils.

— La région touchée, dit-il en se tournant vers Dax, doit être plus étendue que nous ne le soupçonnions.

O'Brien fut étonné par son sang-froid. Il est vrai que Sisko n'avait jamais essuyé la violence des Cardassiens dans toute sa fureur.

L'ingénieur étudia le tableau devant lui. Les systèmes d'analyse ne révélaient aucun indice d'une attaque des Cardassiens ; mieux, le premier diagnostic ne décelait absolument aucune raison aux défaillances.

Les lumières clignotèrent, maisO'Brien ne leva pas les yeux, espérant vaguement qu'en les ignorant, le problème cesserait de lui-même. Le second diagnostic qu'il avait commandé indiquait que tous les synthétiseurs étaient hors d'usage, ainsi que les contrôles environnementaux sur Ops, la Promenade et la majeure partie de l'anneau d'amarrage.

— Benjamin, dit Dax, je reçois une surtension subspatiale inexplicable. Je n'arrive pas à la localiser avec précision, mais... (Elle se tut pendant que ses doigts volaient au-dessus du tableau de commande.) Les senseurs viennent de lâcher, annonça-t-elle.

— O'Brien ? demanda Sisko.

La migraine de ce dernier lui étreignait les tempes comme un bandeau trop serré. Une centaine de voyants d'urgence s'allumèrent simultanément et les systèmes diagnostiques s'arrêtèrent sous la surcharge. Une fois de plus, tout cessa de fonctionner.

Les lumières recommencèrent à vaciller, puis la station oscilla dangereusement, frappée par une nouvelle onde de choc, en même temps que les champs d'inertie étaient désactivés. Tout à l'heure, quand il était dans son lit, l'onde de choc avait ressemblé à un tremblement de terre, mais d'ici on aurait cru qu'un géant avait saisi la station dans sa monstrueuse poigne pour la secouer de toutes ses forces. O'Brien s'agrippa à la console d'ingénierie, gardant un œil sur les connecteurs près du quai de téléportation, d'où jaillissaient des étincelles.

Quand les secousses cessèrent, il réachemina la puissance de quelques systèmes auxiliaires pour éviter une panne générale. Après quelques manœuvres, un certain nombre de voyants d'urgence s'éteignirent, mais l'un d'entre eux, d'une importance capitale, resta allumé. L'enveloppe du noyau de distorsion de la station avait été légèrement endommagé. O'Brien effectua une brève analyse des systèmes du noyau, puis une vérification plus approfondie de nombreux détails, jusqu'à ce qu'il fût absolument certain que tout était dans un état fonctionnel satisfaisant.

Une chaleur étouffante avait envahi Ops et la gorge lui brûlait plus que jamais. L'ingénieur se permit un léger toussotement avant de se tourner vers Dax :

— Les senseurs sont-ils opérationnels ?

Dax lui fit signe que oui.

— Nous avons perdu les téléporteurs et la moitié des turbolifts, cette fois-ci, annonça O'Brien. Le noyau de distorsion a été atteint, mais la situation reste sous contrôle.

— Commencez par les turbolifts, ordonna Sisko en hochant la tête, et rétablissez ensuite le reste le plus vite que vous le pourrez. Dax, pouvez-vous déterminer la portée de cette dernière onde de choc ?

— Nous n'avons plus aucun instrument pour effectuer cette évaluation, Benjamin.

— Un autre message des Cardassiens, dit Kira. Ils n'ont pas l'air contents.

Personne n'était content, O'Brien moins que quiconque.

— Si les Cardassiens ont encore été touchés, nota-t-il, nous avons affaire à un phénomène d'une dimension prodigieuse.

Et qui frappait sans discrimination. Après les turbolifts, O'Brien s'attaquerait aux synthétiseurs. Quelque chose lui disait que le café prendrait une importance croissante au cours des prochaines heures.

CHAPITRE 4

Les défaillances de l'éclairage rappelaient à Odo, le chef de la Sécurité sur la station, les derniers jours du règne des Cardassiens, et il restait assis dans son fauteuil ballotté en tous sens en gardant un air digne. Quant au lieutenant George Primmon, de la Sécurité de Starfleet, qui s'agrippait à son fauteuil, en face de lui, il avait pâli de cette manière délicieusement inconsciente qu'ont les humains de laisser voir leur frayeur. Primmon n'était pas du tout le dur à cuire qu'il croyait être. Il avait même retenu un cri d'effroi quand les lumières s'étaient éteintes.

Odo poussa un soupir d'impatience. Il tenait à la main une copie d'un communiqué provenant de Starfleet. C'est Primmon qui l'avait reçu et Odo avait remarqué, avant même que l'éclairage ne flanche, qu'il était incomplet. Il le lisait maintenant avec plus d'attention mais n'y découvrait toujours aucune information utile.

Il attendit que les sirènes se soient tues avant de continuer l'entretien. Il aurait pu élever la voix mais n'avait aucune raison de se donner cette peine. Au demeurant, il ne tenait nullement à mettre Primmon à son aise.

— Bien, reprit Odo comme si la conversation n'avait pas été interrompue. Qui est ce L'sthwan ?

Primmon déglutit et une petite secousse agita sa pomme d'Adam. Il frotta les manches de son uniforme, comme s'il avait voulu reprendre son sang-froid et se donner une contenance.

— Ne préférez-vous pas d'abord vous informer auprès de Sisko des problèmes qui agitent la station ?

— Si cela me concernait, il m'aurait contacté. Il s'agit de toute évidence de difficultés techniques, qui relèvent du champ de compétence du chef O'Brien, dit-il en posant les coudes sur le bureau. Vous étiez sur le point de me parler de L'sthwan ?

Primmon jeta nerveusement un regard vers la porte, à travers laquelle Odo pouvait observer les occupants de la Promenade, pressés de déserter les lieux publics avant que les lumières de la station ne lâchent une fois de plus.

— L'sthwan ? répéta Primmon en écho, comme s'il avait déjà oublié. (Sa pomme d'Adam remonta de nouveau. En plus d'être un emmerdeur patenté, cet homme avait peur du noir.) Je n'ai jamais eu affaire personnellement à l'individu, avoua-t-il en prenant une grande respiration. C'est un joueur compulsif qui, contrairement à ses semblables, se tire fort bien d'affaire. C'est également un tueur. Il a commencé dans la Zone Vukcevich, où il serait responsable de la mort de quinze personnes, selon la rumeur publique. Il est aussi recherché pour meurtre dans les colonies de Hoffman. Un mandat d'arrêt a été émis contre lui sur Oltion Quatre — il aurait assassiné une famille entière à la fin d'un souper et les Oltoniens veulent l'exécuter. Il a été pris en flagrant délit dans la Ceinture de Patterson après avoir abattu un camarade à la suite d'une querelle de jeu. Quatre gardes sont intervenus et L'sthwan les a tous tués — le dernier a survécu assez longtemps pour faire parvenir un communiqué au commissaire divisionnaire du secteur. Malheureusement, personne n'a jamais pu donner une description complète de cet individu et il a toujours réussi à disparaître sans laisser de trace. Starfleet le considère comme dangereux.

— Manifestement, observa Odo. Sans quoi ils ne vous auraient pas envoyé ici pour nous protéger.

— Je ne suis pas ici pour vous protéger... commença Primmon, mais il s'arrêta et releva le menton quand il réalisa que Odo se moquait de lui. J'ai servi de nombreuses années sur les vaisseaux stellaires. L'expérience m'a appris que des cas comme celui-ci mènent souvent à des problèmes plus graves.

— Vous avez ensuite demandé d'être affecté à un poste plus confortable et vous n'avez maintenant rien d'autre à faire que de venir me casser les pieds.

— Écoutez, constable, la Fédération tient à la capture de L'sthwan. Il est dangereux...

— C'est écrit dans le communiqué, coupa Odo avec sarcasme, ce qui donnait à ses paroles un ton catégorique.

— ... et Starfleet n'a pas besoin que vous lui causiez des problèmes.

— C'est faux. Vous avez besoin de mon aide. Vous mettez ma compétence en doute et vous ne m'apportez aucun renseignement qui me permettrait de faire mon travail. Un communiqué. Un nom. Un signalement qui pourrait correspondre à la moitié des clients du Quark's. Donnez-moi des informations et peut-être serai-je en mesure de vous fournir des résultats.

— Nous savons qu'il est ici.

— Vous en êtes sûr ? Le communiqué n'en dit rien.

— La Fédération, dit Primmon en haussant les épaules, ne m'aurait pas envoyé ici sans raison.

— C'est vous qui le dites.

La pâleur de son visage s'effaça et une belle couleur pourpre escalada lentement son cou jusqu'à son menton. Odo était enchanté par cette ravissante rougeur, preuve tangible qu'il faisait enrager Primmon autant que celui-ci l'irritait.

— Je demanderai à la Fédération de transmettre son dossier à la station.

— Excellent, dit Odo. D'ici à ce qu'il nous parvienne, L'sthwan aura eu cent fois le temps de filer.

La rougeur atteignait à présent les sourcils de Primmon, qui se leva.

— Si j'étais vous, j'irais faire un tour au Quark's, conseilla-t-il. C'est sûrement là que L'sthwan se trouve s'il est sur la station.

— Génial. Vous voulez que je recherche un individu que je ne connais pas, qui peut avoir adopté n'importe quel nom, qui est peut-être un humain, peut-être un humanoïde, et qui aime jouer. Me suggérez-vous de coffrer la moitié des clients de cet établissement ?

— Je vous suggère d'interroger Quark, le patron. Peut-être qu'il le connaît. (L'afflux de sang colorait maintenant la racine de ses cheveux.)

— Bonne idée. Et Quark me livrera un de ses clients payants. Votre profonde méconnaissance de la pensée férengi me confond.

— Odo, l'avertit Primmon d'une voix qui s'était élevée d'un cran.

— J'irai au Quark's, déclara Odo en se levant, parce que j'avais prévu d'y aller. Avez-vous remarqué le peu d'achalandage sur la Promenade ? demanda-t-il au lieutenant.

Primmon jeta un coup d'œil par la lunette de la porte et haussa les épaules :

— Ils préfèrent probablement demeurer sur leurs vaisseaux, ou dans leurs quartiers, à cause des problèmes techniques de la station. Ils n'ont pas tort, d'ailleurs, conclut-il, sous-entendant qu'il aurait lui aussi aimé être loin d'ici.

Odo hocha la tête. Primmon ne voyait évidemment pas ce qui clochait — les gens comme Primmon passent toujours à côté du problème. Sans rien comprendre de la situation, il voulait que Odo trouve un joueur meurtrier au Quark's, ce qui aurait équivalu à rechercher un vaisseau éclaireur dans le trou de ver : facile d'en trouver un, mais pas nécessairement le bon. Odo tendit le bras devant

Primmon pour lui ouvrir la porte, mais le lieutenant resta immobile devant lui.

— Pourquoi me posez-vous cette question ? demanda-t-il.

Odo fixa sur lui un regard étonné. Comment se faisait-il que cet homme ait pu travailler pour un service de sécurité ?

— Les anneaux d'amarrage sont occupés presque à pleine capacité, par des vaisseaux qui sont pour la plupart arrivés au cours des dernières vingt-quatre heures. Les membres des équipages en profitent habituellement pour faire du shopping sur la Promenade. Quand autant de vaisseaux sont stationnés sur les quais, il y a foule dans la station, ce qui n'est pas le cas.

— Et vous croyez que ça signifie quelque chose ?

— C'est ce que je vais savoir.

Il accompagna Primmon à l'extérieur de son bureau et la porte se referma derrière eux. Le lieutenant prit la direction de ses quartiers et Odo celle du Quark's.

Le chef de la sécurité avait vérifié les listes de service de tous les vaisseaux amarrés et découvert que la plupart d'entre eux avaient laissé leur équipage en permission sur Bajor. La composition de ces équipages lui paraissait également suspecte. La majorité de leurs membres avait peu sinon pas d'expérience de la navigation, tandis que plusieurs autres étaient bien connus pour leur implication dans la contrebande et autres activités criminelles. Quand Primmon avait mentionné le mot « joueur », Odo avait déjà beaucoup d'avance sur lui.

Il n'avait d'ailleurs rien remarqué d'inhabituel au Quark's, sinon que le nombre de joueurs aux tables de Dabo avait diminué ces derniers jours. Odo avait cependant développé une certaine anxiété, signe infaillible que Quark préparait un mauvais coup.

Arrivé à proximité de l'établissement du Férengi, il s'arrêta. Pas un bruit. Pas d'éclats de rire. Pas de :

« Dabo ! » crié par une voix soulevée par l'excitation. Il était possible, comme Primmon l'avait suggéré, que les problèmes de la station aient eu un effet dissuasif sur la clientèle, mais ç'aurait bien été la première fois. Les problèmes n'avaient jamais dérangé les joueurs du Quark's.

Assis à une table au centre du bar, deux Bajorans se disputaient aimablement. La croupière se penchait sur la table de Dabo, déplaçant elle-même les jetons à l'aide d'un petit râteau. Le sourire qui élargit sa bouche quand elle aperçut Odo s'éteignit quand elle le reconnut.

Une vague odeur de chien mouillé flottait dans l'établissement et les systèmes climatiques ne fonctionnaient pas. Selon toute apparence, la chaleur avait fait fuir tout le monde, y compris Quark, qu'on ne pouvait voir nulle part, contrairement à son habitude. Pas plus que Rom. Or, Quark ne laissait jamais le bar sans surveillance. Odo leva les yeux vers les tables de la mezzanine. Impossible de voir même la jeune frimousse férengi de Nog.

— Votre patron est-il ici ? demanda Odo à la fille du Dabo.

Elle jeta un bref coup d'œil en direction de la porte qui menait à l'arrière-salle, puis reporta son attention sur la table de jeu, sans effleurer un seul instant Odo du regard.

— Non, répondit-elle. Il m'a confié la charge de l'établissement.

Étrange. Quark ne laisserait jamais les profits de la maison entre les mains de quiconque, surtout pas un non-Férengi. Les gains se trouvaient donc ailleurs. Dans l'arrière-salle ? Quark la réservait à la tenue de certaines parties spéciales ou à des séances de jeu privées, et occasionnellement à des ventes aux enchères.

— C'est donc vous qui êtes responsable, répéta Odo.

La croupière fit oui de la tête.

— Responsable de diriger les clients vers l'arrière-salle ?

Nouveau coup d'œil dans cette direction. Elle fit rouler le râteau de Dabo entre ses doigts.

— Pas du tout, répondit-elle tranquillement. Je sais très bien me servir du synthétiseur.

— Je n'en doute pas.

Passant près d'elle, il se dirigea à grandes enjambées vers la porte qui conduisait à l'arrière-salle. La croupière tenta de le retenir en lui prenant le bras, mais il la repoussa. Quand la porte s'ouvrit dans un sifflement, dix tables, recouvertes d'un tapis de feutre vert, apparurent, occupées par une vingtaine de clients — humains, extraterrestres et Férengis —, ainsi que Quark, à moitié enseveli sous le poids d'une Romulanne dont les cheveux balayaient le sol. Ses mains et ses pieds traînaient aussi par terre et son sang vert inondait la moitié de la chemise de Quark.

Elle était morte, sans aucun doute. Aucune femme vivante, une Romulanne moins que toute autre, n'aurait laissé Quark la toucher de cette manière.

— Tiens, tiens. Que se passe-t-il ici ? demanda Odo.

Levant furtivement un œil vers lui, tapi sous le bras de la Romulanne, Quark prit une grande respiration.

— Je peux vous expliquer, s'empressa-t-il de dire.

— Je l'espère pour vous, répliqua Odo.

CHAPITRE 5

Les pannes de courant avaient gravement endommagé les systèmes environnementaux. Le docteur Julian Bashir releva les manches de son uniforme jusqu'au-dessus des coudes. Il avait élevé un champ stasique autour du corps de la Romulanne mais, une fois cette membrane de protection désactivée, il ne disposerait que de quelques minutes pour pratiquer l'autopsie. La chaleur accélérerait le processus de décomposition et le sang, abondant, attirerait à la surface du cadavre les staphylocoques infectieux les plus virulents.

Pour empirer la situation, Primmon, l'officier de sécurité de Starfleet, et Odo étaient penchés sur le cadavre, comme s'il y avait eu un prix à remporter pour celui des deux qui se montrerait le meilleur détective. Bashir s'essuya le front et se dirigea vers un comptoir pour se désinfecter les mains.

— Je ne veux voir personne à proximité de ce corps, ordonna-t-il. Nous avons assez de problèmes comme ça.

Les deux hommes reculèrent. Peu importe l'opinion qu'ils pouvaient avoir de Bashir en dehors de l'infirmerie, ici il était le maître. La porte glissa dans son ouverture au moment où le médecin s'apprêtait à désactiver le champ de stase.

— J'avais demandé que le programme de stérilisation s'effectue dans l'autre salle, maugréa-t-il sans lever les yeux. (Il fallait souvent répéter plusieurs fois les directives aux nouveaux assistants avant qu'elles ne soient bien comprises.)

— Eh bien, je crois que je ne vous avais pas bien entendu, docteur.

La voix qui avait répondu était grave et chaleureuse, mâtinée d'un soupçon d'humour. Bashir sentit monter une bouffée de chaleur qui n'avait rien à voir avec les systèmes environnementaux.

Il se tourna vivement. Les mains jointes derrière le dos, le commandant Benjamin Sisko se tenait dans l'encadrement de la porte, une des manches de son uniforme toujours impeccable tachée par la fumée.

— Commandant... Je croyais que...

— Je sais, le rasséréna Sisko, souriant, avant de s'approcher du cadavre et froncer les sourcils. Avez-vous découvert quelque chose ?

— Je dois d'abord analyser le sang et l'urine, puis passer un scan ADN, répondit-il. Mais je peux déjà vous assurer que les causes réelles de sa mort correspondent bien aux causes apparentes : cinq blessures portées par coups de couteau. Trois ont atteint l'estomac, un autre le poumon gauche ; le cinquième a transpercé le cœur et l'a tuée net.

— Dans ce cas, pourquoi faire les autres analyses ? demanda Sisko.

— J'ai trouvé sur le couteau une substance que je n'ai pas pu identifier, répondit Bashir. Je dois vérifier s'il s'agit d'un poison, puis j'effectuerai un dépistage cellulaire. L'arme ne portait aucune empreinte. C'était un ustensile férengi, dont ils réservent l'usage au découpage d'un de leurs plats froids bizarres.

Sisko examina le corps et Bashir, qui suivait son regard, essaya de voir la scène par ses yeux. La femme était nue. Les blessures avaient décoloré sa peau glauque et laissé de larges plaies le long de son torse. Un voile laiteux recouvrait ses yeux grands ouverts et ses cheveux noirs étaient rejetés en arrière, révélant l'arc gracieux des sourcils et de petites oreilles en pointes. Elle avait été belle, à sa manière.

— Qui est-ce ? demanda Sisko, et comme personne ne répondait, il tourna légèrement la tête vers Odo : Comment se fait-il que quelqu'un soit mort sur ma station ?

Bashir passa de l'autre côté du corps et désactiva le champ stasique. Il préférait mettre le plus de distance possible entre lui et Sisko, quelque chose dans la voix du commandant lui laissant croire qu'il ne tolérerait pas la moindre incertitude.

— Il semble que notre ami Quark ait décidé d'organiser un tournoi de poker, expliqua Odo, et il a invité à peu près tous les indésirables qu'on puisse trouver dans la galaxie, tant à l'intérieur de la Fédération qu'en dehors.

— En fait, commandant, intervint Primmon, nous avons un suspect. Son nom est L'sthwan. Nous avons reçu un communiqué de Starfleet nous demandant d'être vigilants. C'est un joueur notoire et un meurtrier, recherché sur la Base Stellaire Cinq pour...

— Si nous avons un suspect, l'interrompit Sisko, comment se fait-il qu'il ne soit pas déjà derrière un champ de force ?

Le cadavre dégageait une odeur métallique si pénétrante que Bashir dut reculer. Le jeune médecin programma l'ordinateur afin qu'il conduise les analyses pendant qu'il retirerait des échantillons sanguins pour un examen ultérieur. Tout en s'appliquant à sa tâche, il prêtait une oreille attentive à ce qui se disait dans l'infirmerie.

— Ce que monsieur Primmon omet de vous mentionner, commandant, précisa Odo d'une voix plus tranchante qu'à l'ordinaire, c'est que le message de Starfleet est extrêmement vague. Ils nous mettent en garde contre L'sthwan, mais ne nous donnent aucune précision sur son âge, sa race ou son apparence. Ils ne savent même pas avec certitude s'il viendra sur Deep Space Neuf. Monsieur Primmon a présumé...

— Les hypothèses ne m'intéressent pas, trancha Sisko. Je veux des réponses.

— Voici ce que nous avons pu apprendre jusqu'à maintenant, reprit Odo. La porte de l'arrière-salle du Quark's était fermée avant la panne de courant. Selon les informations fournies par l'ordinateur, cette porte a été ouverte et refermée une fois durant la période d'obscurité et personne ne s'est téléporté à l'intérieur. Après un relevé moléculaire et un dépistage ADN préliminaires, j'ai comparé les renseignements recueillis avec les fichiers des trente personnes présentes dans la salle, sans rien trouver d'anormal. Mais je suis certain qu'elle a été assassinée par quelqu'un qui se trouvait dans cette pièce.

— Formidable, laissa tomber Sisko en se penchant sur le corps. Une chance sur trente d'attraper un tueur. (Il gardait les yeux fixés sur les mains de Bashir qui, lui, essayait de ne pas relever la tête, de peur qu'elles ne se mettent à trembler.) Aucun vaisseau ne quittera cette station avant que le meurtrier ait été capturé. Annulez la partie de poker de Quark et tenez-moi au courant de tout nouveau développement.

Bashir avait fini d'établir ses diagnostics. Il rétablit le champ stasique qui serait maintenu jusqu'au moment où il pourrait mettre le corps en congélation.

— Croyez-vous vraiment que c'est une bonne idée de mettre fin à la partie ? demanda-t-il. Après tout, le meurtrier est venu ici pour jouer au poker.

— Le docteur a raison, l'approuva Odo. Je ne demanderais pas mieux que de faire cesser les petites séances de Quark, mais je crois que nous aurions de meilleures chances d'attraper le tueur si le jeu se poursuivait.

— Avez-vous un plan, Odo ? demanda Sisko.

— Malgré tout le respect dû à votre rang, commandant, dit Primmon en interposant sa frêle carrure entre les deux hommes, permettez-moi de vous faire remarquer que le meurtrier pourrait frapper de nouveau, si la partie se poursuit. Quel que soit le plan du constable, il ne peut être d'aucune efficacité.

— L'assassin ne tuera plus, jura Odo, parce que je serai parmi les joueurs.

Bashir plissa le front et se croisa les bras :

— J'ignorais que vous aimiez le jeu, dit-il.

— Je n'aime pas le jeu, répondit-il. Mais je suis prêt à faire mon devoir pour attraper le tueur.

— Commandant, l'exhorta Primmon, appuyant la hanche sur la table d'autopsie.

Quand Bashir lui tapa sur l'épaule pour lui faire signe de s'écarter, le lieutenant réagit par une grimace et le médecin dut résister à l'envie de lui retourner sa mimique stupide. L'homme avait beau être peu commode, ce type de comportement n'impressionnerait guère le commandant.

— J'aimerais vous conseiller de ne pas tenir compte de cette suggestion.

— Monsieur Primmon, dit Sisko d'un ton ferme, nous avons déjà abordé ce sujet. Le constable Odo possède une compétence exceptionnelle dans son champ d'action et s'il croit que son plan nous débarrassera du tueur, je me range alors à son avis. (Sisko fit un pas de côté de manière à exclure Primmon de la conversation.) Quark vous laissera-t-il participer au tournoi, Odo ?

— J'en fais mon affaire, commandant.

— Je vous fais confiance pour ça, confia Sisko en hochant la tête.

Bashir s'éloigna de la table d'autopsie. Il enviait Odo de pouvoir aller assister à la partie de poker, même avec la menace d'un tueur en liberté. Voilà le type de situation extrême dont Bashir rêvait. À de nombreuses reprises, il avait supplié Quark de le laisser prendre part au tournoi, mais Quark n'avait rien voulu savoir, le croyant trop nul pour soutenir cette épreuve. Il s'était pourtant montré un adversaire coriace, à l'Académie médicale, lors de ces parties qui se prolongeaient jusqu'aux petites heures du matin, et se savait capable de tenir le coup.

— Docteur Bashir. Si vous trouvez quoi que ce soit d'inhabituel en cours d'analyse, veuillez m'en informer sur-le-champ.

Le ton péremptoire de Sisko tira Bashir de ses rêveries.

— Bien, commandant.

Sisko posa un dernier regard sur la Romulanne étendue sur la table d'autopsie, puis regarda Odo.

— Trouvez-moi qui a fait ça.

— Vous pouvez compter sur moi, acquiesça Odo.

Le clignotement des lumières reprit. Le champ stasique fut parcouru de fluctuations et disparut. Bashir courut vers la table pour le rétablir.

Après avoir levé les yeux vers les unités d'éclairage au plafond, Sisko tourna la tête en direction de Odo :

— Tant mieux, constable. En ce moment, nous avons plutôt besoin de pouvoir compter sur quelque chose ici.

CHAPITRE 6

Odo adorait entendre Quark gémir.

Et cela faisait maintenant quinze minutes que le Férengi ne cessait de se répandre en lamentations. La température s'était encore réchauffée dans le bureau de la Sécurité depuis la dernière panne de courant et l'odeur âcre de fermentation exsudée par le Férengi baignait la pièce. Des gouttes perlaient sur ses arcades sourcilières et lui tombaient sur le nez. Quelques-unes se promenaient dans les sinuosités de ses énormes conques d'oreilles. Quark balayait les petits globules comme s'il s'était agi de blattes bajorannes.

Odo se pencha au-dessus de lui, espérant ainsi ajouter à sa nervosité. Quark commettait des erreurs lorsqu'il devenait nerveux. Il n'arrêtait pas de jeter des coups d'œil inquiets derrière lui. La Promenade demeurait déserte. On ne pouvait pas voir l'établissement de jeu depuis le bureau de Odo.

— Si vous n'avez aucune question à me poser, vous devriez me laisser partir, raisonna le Férengi, dont la moitié gauche du vêtement était maculée de sang romulan.

— Oh, j'ai bien l'intention de vous en poser, s'amusa Odo, qui laissa ses paroles en suspens pour obtenir un maximum d'effet.

Il avait jusqu'à maintenant évité d'interroger Quark, souhaitant que son anxiété croissante le rendrait plus bavard. Plus tôt, dans l'arrière-salle, le Férengi avait fait les cent pas en attendant l'arrivée de Bashir. Quand ce dernier eut disposé du cadavre pour l'autopsie, Odo s'était dépêché de le conduire à son bureau et lui avait ordonné de ne pas quitter les lieux, sous peine de se voir accuser de meurtre. Quark avait poireauté tout le temps que le constable avait passé à surveiller l'autopsie et à discuter avec le commandant Sisko.

À son retour, Quark ne tenait plus en place. De petites empreintes de pieds poussiéreuses salissaient son plancher toujours d'une reluisante propreté, indiquant que Quark n'avait cessé d'arpenter le bureau depuis son départ.

— Le commandant Sisko veut annuler votre tournoi, rusa Odo.

— Mais pourquoi ? demanda-t-il d'une voix trahie par un soupçon de panique.

— Eh bien, commença lentement Odo, vu qu'il a été le théâtre d'un meurtre peu banal, j'imagine qu'il craint de voir l'incident se reproduire. Je devrai donc fermer le bar jusqu'à ce que nous ayons mis la main sur le meurtrier.

— Vous ne pouvez pas faire ça ! s'écria Quark en se redressant. J'ai besoin qu'il reste ouvert. Au moins l'arrière-salle. Dès demain matin. Je suis sûr que ce sera possible.

— Vraiment ? s'émut Odo en souriant. Pourquoi avez-vous besoin de cette salle, Quark ?

— Pas grand-chose, en fait. Quelques parties, c'est tout.

— Pas grand-chose ? Alors, vous ne verrez aucun inconvénient à ce que le bar soit fermé, disons... une semaine.

— Une semaine ! s'exclama le Férengi en sursautant. C'est impossible !

— Je mène une enquête sur un meurtre, Quark. On vous a trouvé en train de transporter le corps.

— Je n'ai tué personne.

— C'est ce que vous dites.

— Il faisait noir dans cette salle. N'importe qui aurait pu y entrer ou en sortir.

— Les enregistrements informatiques sont très clairs : Rom a été le seul à utiliser les portes. Prétendez-vous que Rom a tué la femme ?

— Oui ! Non ! Je ne prétends rien du tout, renonça Quark en poussant son fauteuil loin de Odo.

— Sauf que vous désirez que la salle soit ouverte demain matin. Pour quelques parties, dites-vous ? Quel genre de parties ?

Quark se tortilla dans son fauteuil. Une goutte de sueur tomba de son menton sur sa chemise.

— Des parties de cartes. Rien d'autre que des petites parties de cartes amicales. De poker, pour être précis.

— N'essayez pas de me faire des cachotteries, Quark, conseilla-t-il, penché sur lui. Vous avez organisé un tournoi de poker dont vous espérez retirer une petite fortune.

— Comment avez-vous... ? commença Quark, mais il laissa tomber sa question.

— Sur cette station, vous ne pouvez rien me cacher.

La déduction était aisée. Il n'avait jamais vu des tables de jeux si soigneusement préparées dans l'arrière-salle du Quark's. Cela, ajouté aux renseignements que Odo avait recueillis sur les passagers en visite sur la station et combiné aux informations ayant trait à L'sthwan, ne laissait aucun doute sur les initiatives du Férengi.

Les quelques joueurs avec qui Odo s'était entretenu après le meurtre le lui avaient confirmé : Quark avait préparé un des plus importants tournois de poker jamais organisé dans le quadrant.

Mais Quark avait compté sans L'sthwan. L'identifier parmi tous les joueurs lui donnerait peut-être du fil à retordre.

— Le tournoi devrait être très divertissant, dit Quark. Vous devriez venir faire un tour pour voir ça.

— À condition que j'en permette la tenue.

— Non ! Vous n'oseriez pas faire ça. Je prépare cet événement depuis plusieurs années. Les meilleurs joueurs du secteur sont ici.

— Vous oubliez le petit problème du meurtrier.

— Je suis certain que vos immenses qualités de détective viendront rapidement à bout de ce criminel.

— Ce criminel s'y trouve peut-être déjà.

— Je ne l'ai pas tuée !

— Non. Vous avez simplement transporté son corps.

— Je venais vous le porter, mentit Quark en baissant les yeux.

— Vous alliez le cacher jusqu'à la fin du tournoi.

— Ça n'aurait fait aucune différence !

Certains jours, Odo aurait souhaité que Quark eût déguerpi en même temps que les Cardassiens. Son travail s'en serait trouvé grandement simplifié, mais aurait peut-être été moins intéressant.

— Bien sûr que non, siffla-t-il avec un sarcasme contenu. Cela aurait seulement donné à l'assassin le temps de s'échapper.

— Peut-être est-ce déjà fait.

— C'est vous qui le dites, fit remarquer le constable en s'appuyant sur son bureau, les bras croisés. Si vous êtes aussi innocent que vous le prétendez, c'est donc que le meurtrier se trouvait dans la salle quand les lumières se sont éteintes.

— Tout le monde a pu utiliser la porte.

— C'est *Rom* qui l'a ouverte, à votre instigation. Je l'ai appris en interrogeant certaines personnes présentes. Je ne crois pas que quelqu'un puisse attendre une panne d'électricité accidentelle pour se glisser dans une salle qu'il n'a jamais vue et assassiner une personne choisie. Non, le tueur était sur les lieux.

— Et alors ?

— Et alors ? Voici, dit Odo, qui prenait son temps. (Il anticipait la réponse de Quark à sa suggestion avec un frisson de plaisir.) Quand le tournoi commencera demain matin, je veux avoir un fauteuil à l'une des tables.

— Vous ne pouvez pas jouer au poker ! Vous n'y comprendriez rien, protesta Quark en se levant, comme si cela réglait la question.

— Voilà pourtant longtemps que vous m'encouragez à apprendre à jouer, lui rappela le chef de sécurité en avançant jusqu'à côté du Férengi et en baissant les yeux vers lui.

Quark fut pris d'un tremblement. La sueur dégouttait de ses oreilles.

— Il vous faut cent barres de latinum endoré pour entrer.

— Erreur, le corrigea Odo, en lui adressant une de ses rares moitiés de sourire. En tant qu'hôte, vous retirerez des profits de cette partie, mais vous ne pouvez pas jouer vous-même. Un Férengi ne pourrait jamais se satisfaire de la part qui revient à la maison. Je vous soupçonne de vouloir contourner les règlements.

— Les règlements s'appliquent à tout le monde.

— N'essayez pas de me mentir, Quark, prévint-il en secouant la tête. Je peux mettre fin à votre tournoi à l'instant même.

Quark releva le menton :

— Et si je vous laisse jouer, le bar restera ouvert ?

— Oui, répondit Odo, résistant à l'envie de se frotter les mains ; Quark commençait finalement à comprendre.

— Je ne peux accueillir que quatre-vingt joueurs, et quelqu'un a déjà pris la place de la Romulanne assassinée.

— Débarrassez-vous d'un des joueurs qui travaille pour vous. Je le remplacerai.

— Vous ne pouvez pas être une taupe si vous ne savez pas jouer aux cartes.

— Vous désirez faire des profits, Quark, et moi je veux capturer un meurtrier. Il me semble que vous feriez mieux de m'apprendre à jouer au poker, qu'en pensez-vous ?

— Avant demain matin ?

— À moins que vous ne préfériez retarder votre partie.

Odo entendit les dents du Férengi grincer.

— J'espère que vous apprenez vite, constable, sinon ces autres joueurs vous mangeront tout cru.

— Ça, c'est votre problème.

CHAPITRE 7

Jake Sisko essayait d'avoir l'air décontracté en traversant la Promenade, mais l'absence d'affluence sur la place le rendait anxieux. Autant que les assurances réitérées de Nog que tout se passerait bien.

La dernière fois que Nog lui avait dit ça, son père lui avait interdit de quitter leurs quartiers pendant une semaine. Il n'avait pas envie de remettre ça.

Si son père l'attrapait encore... Le règlement était clair : quand des problèmes survenaient sur la station, Jake devait immédiatement regagner leurs quartiers. Et le clignotement des lumières, les secousses aussi fortes que celles d'un tremblement de terre, c'en étaient, ça, des problèmes.

Jake avait pourtant bien essayé de rester à la maison et avait appelé Nog pour l'inviter à venir goûter son gâteau. Mais Nog n'aimait pas le gâteau — du moins pas au chocolat. Il prétendait que ça manquait de croquant et que c'était une matière morte depuis beaucoup trop longtemps pour avoir une bonne saveur. Nog lui avait plutôt proposé de le rencontrer sur la Promenade.

Jake avait refusé. Mais quand son père, un peu plus tard, l'avait informé que les problèmes de la station le retiendraient plusieurs heures, Jake s'était mis à broyer du noir. Il avait rappelé Nog pour lui demander ce qui se passait de spécial sur la Promenade. Nog n'avait pas voulu apporter de précisions, mais il lui avait promis qu'il ne le regretterait pas. Cette fois, son hésitation avait été brève. S'il était resté là, il aurait tourné en rond à se faire du mauvais sang pour son père.

Mieux valait se tenir occupé.

La démarche précipitée typique des Férengis, un peu plus rapide que celle des humains, obligeait Jake à presser le pas pour rattraper Nog. Il craignait que les lumières ne s'éteignent encore une fois, et la fumée dans les couloirs l'inquiétait.

— Nog, répétait-il, nous ferions mieux d'aller dans mes quartiers. J'ai un jeu d'échecs antique que mon père a rapporté de la Terre.

— Unidimensionnel ? s'enquit Nog.

Jake lui répondit d'un signe de tête affirmatif. Il avait envie d'en faire l'essai depuis qu'il l'avait vu.

— C'est trop facile, refusa l'adolescent Férengi. Et en plus, tu ne voudrais pas parier.

— On ne parie pas aux échecs.

— Mon père, oui.

Jake poussa un soupir. Rom gageait sur n'importe quoi. Pratiquer un jeu sans miser quelque chose semblait dépasser l'entendement de Nog.

— Où est-ce qu'on va ? demanda-t-il.

— Sois patient. Tu vas adorer ça.

C'est ce que Nog avait dit des larves de scarabées sautées — Jake était incapable d'avaler un plat qui remuait encore — mais cela ne l'empêcha toutefois pas de le suivre vers le Quark's. Ils montèrent l'escalier qui menait au deuxième étage de la Promenade. Le bruit de leurs bottes qui se répercutait contre le métal des marches le fit frissonner. La Promenade était habituellement si bruyante qu'il ne pouvait même pas s'y entendre penser, et encore moins marcher.

Une fois en haut, Nog le conduisit jusqu'à l'immense baie vitrée qui surplombait le Quark's. Le bar était désert, et la croupière du Dabo, penchée sur sa table, semblait mourir d'ennui.

— Il n'y a personne, dit Jake. Je crois que je ferais mieux de retourner dans mes quartiers.

Nog ne faisait plus attention à lui. Il manœuvrait une petite torche au laser, qui lui permit de retirer un panneau du mur qu'il déposa ensuite doucement par terre, avant de jeter un coup d'œil aux alentours. Jake l'imita. Ils étaient seuls.

Nog se glissa dans l'ouverture.

— Suis-moi, l'invita-t-il d'une voix dont l'écho résonna.

Le cœur de Jake battait à tout rompre. Il espéra que son père était très occupé sur Ops. Cette fois, la punition pourrait durer bien plus qu'une semaine. Son papa lui avait expressément recommandé d'éviter les zones publiques de la station, où il courait de trop grands risques. Mais il jugea que rester à se disputer dans le couloir avec Nog était une situation qui présentait plus de danger encore. Il se faufila à l'intérieur.

Une chaleur étouffante régnait dans la galerie de service, faiblement éclairée par des ampoules minuscules fixées de chaque côté du plancher. L'éclairage d'urgence, probablement. Si tout s'éteignait maintenant, ils seraient vraiment dans le pétrin.

Nog se retourna pour remettre le panneau en place.

— J'espère que ça vaut le coup, prévint Jake.

Nog posa un doigt sur ses lèvres.

— Pour ça, oui, chuchota-t-il en réponse.

Une goutte se sueur roula sur le visage de Jake. La galerie de service dans laquelle ils cheminaient, le dos voûté, se prolongeait en direction du Quark's. À hauteur du bar, elle se transformait en une simple passerelle soutenue par des câbles. Plutôt intéressant.

— Où est-ce que ça mène ?

— Les holosuites sont de chaque côté, répondit Nog en désignant les parois. Viens.

Jake regarda les murs des cabines, sans véritable envie de connaître les activités qui se déroulaient derrière. Son père l'avait renseigné sur les choses de la vie, plusieurs années auparavant. Les explications qu'il lui avait données, cependant, ne semblaient pas correspondre à ce qui se passait dans les holosuites. Le peu qu'on lui en avait raconté lui avait soulevé le cœur.

Nog avançait accroupi et ressemblait presque à un gorille. Il conduisit la marche jusqu'au bas de la galerie de service, entre les énormes câbles, les parois nues et les poutres de la structure. Jake le suivait en prenant appui sur les murs, mais ses mains étaient si moites qu'elles glissaient sur le métal. Quelque chose lui transperça le pouce et il retint un cri. Nog lui lança un regard courroucé et lui fit signe encore une fois de garder le silence. Jake s'arrêta pour s'essuyer les mains sur son pantalon, puis il reprit sa descente. Le Férengi tourna soudain à droite et emprunta une voie plus étroite, au-dessus de ce qui paraissait être le plafond d'une pièce. On entendait monter le bruit des rires et de la conversation.

— ... me dérange pas vraiment, disait une voix mâle. Ça enlève un peu de concurrence, voilà tout.

— Dans ce cas, répliqua celle d'une femme, je ne suis pas certaine d'avoir envie de jouer avec ce genre de canailles qui n'hésitent pas à tuer leurs adversaires.

— Vous n'avez jamais joué au poker, n'est-ce pas mademoiselle ?

Ils conversaient sur un ton cynique qui donnait froid dans le dos à Jake. Nog s'arrêta et pointa le doigt.

Jake ne comprit d'abord pas ce qu'il devait voir parmi les panneaux de plafond, les solives de soutien et la partie postérieure des appareils d'éclairage fixés aux panneaux. Il se rapprocha, les voix ne devinrent plus qu'un murmure indistinct.

— J'ai espionné mon père et Quark ici la semaine dernière, chuchota Nog. Ils pleuraient de rire à l'idée de la fortune que ce bidule allait leur rapporter, quand le tournoi commencerait.

Un tournoi ? Du poker ? Quark manigançait quelque chose et Nog savait de quoi il s'agissait. Jake regarda l'endroit précis que Nog lui indiquait. Un système de senseur sophistiqué était fixé au dos d'une petite lampe de plafond pareille à toutes les autres.

— À quoi ça sert ?

— Vise un peu, lui dit Nog en frappant son épaule. Il y en a plusieurs. Une au-dessus de chaque table.

— Pourquoi ?

Nog considéra un moment son ami comme s'il avait été un demeuré, aussi Jake examina-t-il avec plus d'attention les senseurs dispersés sur toute la surface du plafond. Il se rappela que le chef O'Brien, durant un cours qu'il avait donné à l'école, leur avait expliqué que ces senseurs étaient capables de fournir non seulement un enregistrement visuel et sonore, mais également des renseignements de nature médicale sur toutes les personnes qui se trouvaient dans le champ de l'objectif.

En bas, des rires fusèrent et Jake recula brusquement, surpris. Nog posa la main sur son épaule.

— Un grand tournoi de cartes va avoir lieu. Viens par ici, chuchota-t-il en menant Jake jusqu'à une petite ouverture dans le plafond, un panneau légèrement décalé qui laissait filtrer un rai de lumière dans la pénombre de la zone de service. Approche et regarde par là.

Jake obéit. La pièce était brillamment éclairée. Des cartes et des jetons s'empilaient sur des tables recouvertes de nappes en feutre vert. De son poste d'observation, il pouvait apercevoir les jambes d'un homme assis dans un fauteuil qui tenait des cartes dans sa main.

— Ton père triche ? demanda-t-il en se tournant vers Nog. Il peut voir dans tous les jeux.

Nog laissa échapper un rire silencieux.

— Ouais. C'est pas génial, ça ? Avec les senseurs, il peut tout observer dans la salle *et* analyser l'état émotif de tous les joueurs. Si je pouvais maintenant savoir où sont diffusés les enregistrements... Ce serait chouette de pouvoir regarder ces moniteurs, pas vrai ?

Jake resta immobile, les yeux rivés sur son ami. Non, à vrai dire, ça ne le tentait pas du tout.

CHAPITRE 8

— Ne perdons pas de temps, Quark, dit Odo. Vous savez que j'ai une enquête criminelle à mener.

Le Férengi tira un mouchoir d'une poche de sa veste pour s'essuyer le front. Les dérèglements des systèmes environnementaux persistaient et le bureau de Odo était une véritable fournaise. Et pas question d'ouvrir la porte, puisque Quark voulait à tout prix éviter qu'on sache ce qu'ils faisaient.

Du revers du bras, il écarta tout ce qui se trouvait sur le bureau de Odo, qui dut réagir vivement pour rattraper les documents avant qu'ils ne s'éparpillent sur le plancher. Quark éprouva une certaine satisfaction quand il vit les sourcils du chef de sécurité se froncer, même si rien ne l'aurait fait se sentir bien. Le meurtre n'avait fait qu'ajouter aux complications. Un autre problème tarabustait Quark, dont il ne s'était ouvert à personne.

Le Grand Nagus.

Si le tournoi était un succès, le Nagus serait peut-être tenté d'acheter le bar. C'est ce qu'il avait laissé entendre lors de sa dernière visite sur Deep Space Neuf. Mais s'il tournait au fiasco, Quark serait dans ses petits souliers devant lui.

Il y avait aussi la question de ses frais d'entrée. Tout l'argent du Nagus avait soi-disant été détruit en même temps que son vaisseau et il avait demandé à Quark de lui avancer la somme nécessaire. Impossible de refuser.

Il préférait ne pas penser à ce qui arriverait si le Nagus devait perdre. Il ne réglait jamais ses dettes de jeu.

— J'ose croire que vous n'avez pas fait le ménage sur mon bureau sans raison, se contint Odo.

Quark porta la main à une autre poche et en sortit un jeu de cartes, qu'il déposa d'un geste sec au milieu de la table.

— Asseyez-vous, lui signifia-t-il. Je vais vous apprendre à devenir le meilleur joueur de tout le quadrant.

— Je n'ai pas besoin de devenir le meilleur. D'ailleurs, je sais déjà comment on joue.

Quark se pencha vers lui, une main toujours posée sur le paquet.

— Chacun des joueurs présents ici est le meilleur du quadrant. Si vous voulez survivre plus d'une manche, vous n'avez qu'un seul choix : devenir vous aussi l'un des meilleurs. Bon, je vais commencer par l'essentiel.

Odo poussa un grand soupir, s'assit et se pencha vers le Férengi.

— Pas trop essentiel, quand même. L'ordinateur m'a fourni pas mal d'informations sur le poker. Ce n'est pas très compliqué.

— Pas très compliqué ? répéta Quark, que la chaleur empêchait de respirer. Vous n'avez jamais joué et vous croyez que le poker est un jeu pas compliqué ?

— Simple question de logique.

— Mais vous ne comprenez rien, Odo ? La crème des joueurs de tout l'univers connu est réunie ici. Ils sont trop forts pour vous, nous ne pouvons pas les affronter.

— Il le faudra pourtant, sans quoi la partie n'aura pas lieu, lui rappela Odo, ses traits inachevés impassibles.

Quark lui aurait tordu le cou. Facile pour Odo de rester calme ; sa vie n'était pas en jeu, le Grand Nagus ne mettait pas sa fortune en péril. Non, sa seule préoccupation était de remplacer un joueur, et il allait être lamentable dans ce rôle.

— Je comprends les règles, dit Odo.

— Non, vous ne les comprenez pas, rétorqua Quark. Savez-vous ce qu'est un bluff ?

— Évidemment. Un joueur bluffe quand il prétend détenir une main meilleure qu'elle ne l'est en réalité, expliqua Odo en se calant dans son fauteuil. Je ne suis pas sûr de pouvoir faire ça.

— C'est l'essence même du poker ! Il faut bluffer ! *Tout le monde* bluffe. (Quark savait qu'il criait mais c'était plus fort que lui.)

— Je préfère une approche directe.

Le Férengi se cacha le visage dans les mains. Odo serait découvert et Quark deviendrait la risée du monde du jeu. Jamais plus il ne pourrait tenir un tournoi. Tout cet argent...

— Une enquête m'attend, Quark, il faut nous dé...

Quark releva la tête. Inutile de se battre. Le sort en avait décidé ainsi.

— Il existe plusieurs variantes du poker, commença-t-il, avec une énergique résignation. Dans ce tournoi, nous allons jouer au Stud à Sept Cartes.

Odo leva le bras pour l'arrêter :

— J'ai appris le jeu à l'ordinateur. Pas la peine de perdre votre temps et le...

— Nous allons perdre notre temps, bouillonna Quark, si nous perdons mon argent à cause de votre idée stupide. Ne m'interrompez plus. (Odo lui fit signe qu'il avait compris.) Stud à Sept Cartes signifie que sept cartes sont distribuées et que la suite de cinq cartes la plus forte gagne. Voilà pour l'essentiel. C'est aussi simple que ça. Êtes-vous capable de comprendre ça ?

— C'est pareil à tous les jeux de sept cartes que j'ai étudiés, dit Odo en haussant les épaules.

— Non, claqua Quark. Celui-ci demande beaucoup plus d'habileté. Et rappelez-vous que le poker est une affaire d'habileté.

— Le poker est un jeu de hasard. Il est impossible d'exercer un contrôle quelconque sur les cartes qu'on reçoit. À moins que le donneur ne s'avise de...

— C'est de la tricherie de bas étage ! (La chaleur était devenue intolérable et Quark se leva pour arpenter la pièce.) Le poker est un jeu d'adresse, qui consiste à savoir bluffer. N'importe qui peut gagner avec une mauvaise main, s'il bluffe correctement et n'ouvre jamais son jeu. Est-ce clair ?

— Je comprends que le bluff est important pour vous, argumenta Odo en joignant les mains sur le bureau. Pourriez-vous continuer maintenant ?

— Je suis sûr, soupira Quark en brassant les cartes, que ça ne changera rien de toute façon.

— Pardon ?

Quark l'ignora et passa successivement deux cartes à Odo et à lui-même.

— Le donneur vous donnera deux cartes fermées, comme celles-ci. Vous ne devez les montrer à personne, sous aucun prétexte. Après cette donne de deux cartes, il y a une ronde de mises.

Odo ramassa ses cartes.

— Miser est l'essence du poker.

— Je croyais que c'était le bluff, objecta Odo.

— Sans mises, il n'y aurait aucune raison de bluffer.

Quark reprit place dans son fauteuil. À l'heure présente, il aurait dû être en train de vérifier son système de surveillance. Il aurait dû se trouver parmi ses invités. *Pas* en train d'enseigner un jeu à un avorton de chef de sécurité à l'esprit étroit.

— Je crois que je n'aime pas ce jeu, confia Odo. C'est beaucoup trop facile.

— Pas besoin que vous aimiez ça. Il vous suffit de jouer.

— D'accord, acquiesça Odo en soupirant. Continuez, je vous prie.

Si Quark ne lança pas le paquet de cartes à la tête de Odo, il s'en fallut de peu. Il respira un bon coup et distribua trois cartes ouvertes. Une dame de cœur avec un six et un deux de pique. Pas mal. Avec le roi et le cinq de pique qu'il avait dans son jeu, une quinte était possible. Dommage que ce ne fut pas une vraie partie.

— Une fois les mises déposées, le donneur placera les trois cartes suivantes au centre de la table, ouvertes. C'est ce qu'on appelle le Flop.

— Pourquoi ce nom ? s'enquit Odo, fixant d'un regard hébété les cartes que Quark venait de placer entre eux.

— Parce que ça provoque des montées de sueur, mentit le Férengi en s'essuyant de nouveau le front. Et ne me demandez pas ce qu'est une montée de sueur.

— Ça ne m'intéresse pas de le savoir, dit Odo en retournant une carte de son jeu, qu'il approcha des trois cartes sur la table.

— Ne faites jamais ça ! Tout le monde pourrait voir votre jeu.

— Vous voulez dire qu'ils vont regarder ?

— Je vais reprendre mes explications, balbutia Quark en déposant ses cartes et le paquet. Le poker est un jeu d'habileté pour les menteurs et les tricheurs. C'est un moyen fantastique de gagner beaucoup d'argent sur la foi d'un seul mensonge. La plupart des tournois sont organisés de manière à ce que personne ne triche. Mais aucun règlement n'interdit de jeter un coup d'œil dans le jeu d'un autre joueur. Pas plus qu'il n'est interdit de dévoiler son jeu à un participant. Si quelqu'un soupçonne que vous êtes un débutant, il vous racontera toutes sortes de mensonges dans ce but. Si vous avez des questions, vous me les poserez à moi. Est-ce bien compris ?

— Tout à fait. Ça n'a jamais été aussi clair, à dire vrai. Je sais comment m'y prendre avec les menteurs et les tricheurs.

Odo rapprocha ses cartes contre lui, mais Quark avait pu voir le trois et le quatre de pique. Si seulement il attrapait ça dans une vraie partie, et qu'il avait été un vrai joueur, misant sur une possibilité de quinte flush, la meilleure main de toutes... Quark secoua la tête ; la nuit allait être longue.

— Le Flop est suivi d'une nouvelle ronde de mises, poursuivit-il d'une voix lasse, où perçait la déception. Le donneur dépose ensuite une quatrième carte ouverte sur la table, continua Quark, joignant le geste à la parole.

Il retourna le cinq de pique. La main parfaite. Quark venait de distribuer à Odo la carte manquante d'une quinte flush. S'il avait eu ce jeu au cours d'une vraie partie, le Férengi aurait pu lessiver n'importe qui. Mais c'est Odo qui avait reçu cette main.

— Vient ensuite la ronde de mises finale, après quoi le donneur place la cinquième et dernière carte sur la table. Les joueurs sont ensuite autorisés à miser une dernière fois.

Quark retourna la dernière carte. La dame de carreau. Une séquence formidable, qui aurait donné lieu à du jeu passionnant en compétition.

Odo hochait la tête en examinant les deux cartes de son jeu et les cinq sur la table. Quark était certain qu'il n'avait pas la moindre idée de ce qu'il avait sous les yeux.

— Vous formez la meilleure main possible en utilisant vos deux cartes et trois des cinq autres qui sont sur la table. Quand les paris sont fermés, après la dernière ronde, il reste ce qu'on appelle le moment de vérité.

— Le moment de vérité ?

— Une expression qui ne manque pas de justesse. Celui qui a placé la dernière mise doit déposer ses cartes ouvertes sur la table et montrer son jeu. Si un autre joueur croit que sa main est plus forte, il doit lui aussi la découvrir. La meilleure main remporte toutes les mises qui ont été faites.

Odo continuait de hocher la tête, sans quitter les cartes du regard.

— Je crois que je comprends. C'est un jeu très simple.

— Je n'en doute pas un instant, ronchonna Quark.

Odo leva les yeux vers lui avec un petit sourire :

— Je comprends que c'est votre argent que je vais dépenser.

Quark étouffa un sanglot à cette pensée. Il allait se lever pour partir, quand il songea à un dernier détail.

— Certains de mes invités pourraient être troublés par l'uniforme que vous portez, fit-il remarquer à Odo. Pourriez-vous vous habiller autrement ? (Quark réalisa qu'il n'avait jamais vu Odo porter autre chose que son costume beige bajoran.) Avez-vous d'autres vêtements dans votre garde-robe ?

— Allons, Quark, ne dites pas d'âneries, répondit Odo, pendant que son uniforme terne virait au rouge, pour se transformer ensuite en un costume civil orange et bleu. Je ne possède *aucun* vêtement.

CHAPITRE 9

Les intermittences de l'éclairage reprirent, une fois de plus.

— Cramponnez-vous, avertit Sisko en tendant le bras vers l'extrémité de la console de communication devant lui.

Ops fut ébranlée, mais les officiers demeurèrent à leur poste. Ils avaient fini par s'habituer au tangage.

Sisko s'essuya le visage du revers de la main. Il ne comprenait pas comment il se faisait que la chaleur augmentait alors que les systèmes environnementaux étaient hors d'usage — nouveau mystère de l'ingénierie cardassienne.

O'Brien était presque couché sur le poste technique, les mains tremblantes. Il avait pris un moment, à quatre heures du matin, pour remettre les synthétiseurs en marche et il en était presque à sa dixième tasse de café — du café à l'ancienne, contenant de la caféine.

— Nous avons perdu quelques turbolifts cette fois, annonça-t-il sans lever les yeux, et deux quais d'amarrage n'ont plus d'alimentation. Pas grand-chose, comparé aux dernières fois.

Pas grand-chose. Tout le monde semblait s'habituer à cette situation. Sisko se souvint des paroles d'un ami ayant longtemps résidé à Tokyo, où les gens, lui avait-il expliqué, ne se fiaient jamais à la stabilité du sol sur lequel ils marchaient. Il commençait à comprendre ce que cet ami voulait dire.

— Dax, du nouveau, cette fois ?

Elle n'avait pas quitté la console scientifique de toute la nuit et, bien qu'elle se tint encore droite, les cernes sous ses yeux leur donnaient une teinte sombre et bleutée. Elle terminait son quart quand tout avait commencé.

— Pas de changement, Benjamin. Je ne capte rien d'autre que les fluctuations subspatiales. Elles ont un large spectre de fréquences, mais aucune cohérence. Impossible de localiser la cause directe de ce phénomène.

— Impossible pour moi aussi, ajouta Carter, une jeune femme maigrichonne venue remplacer Dax à deux heures de la nuit, avec l'équipe de relève ; mais tout l'équipage de service était demeuré en poste.

Tous ses officiers montraient des signes de fatigue. Sisko se déplaça vers la console située à côté du panneau de communication. Toutes les heures, il programmait le même diagnostic, dans l'espoir de voir un changement survenir, mais le système ne détectait toujours aucune cause extérieure aux détraquements, comme s'il se fut agi d'un tremblement de terre à l'échelle de la station et qu'un dérèglement interne eut causé le tangage et les variations d'énergie.

Il n'arrivait pas à s'expliquer les événements, surtout depuis qu'il savait que les Cardassiens subissaient eux aussi les mêmes perturbations. Les fluctuations subspatiales étaient un indice. La station était malmenée par un phénomène que l'équipage ne pouvait détecter et que les senseurs n'arrivaient pas à identifier. Sisko voulait en finir avec cette situation.

Tout de suite.

— Commandant, l'appela O'Brien, on dirait que les pannes ne sont pas toutes dues à la même cause. Cette fois, les ascenseurs ont flanché en raison d'une chute de courant qui a activé les systèmes auxiliaires. Mais le courant des quais d'amarrage a lâché sans surcharge apparente. En temps normal, je dirais qu'elles n'ont aucun lien direct.

— Et pourtant, elles en ont un, affirma Sisko.

L'énigme était de plus en plus déconcertante. O'Brien jeta sur sa console un regard furieux.

— Le problème consiste à le trouver, souligna-t-il en retenant un long bâillement, puis il avala une gorgée de café et se remit au travail.

Sisko alla jusqu'au synthétiseur et se commanda lui aussi un café. Il se reprit aussitôt et demanda plutôt un double cappuccino, pris d'une envie soudaine de caféine. La fatigue lui sortait par les pores, en même temps que la sueur. Il changea de nouveau pour un cappuccino glacé.

— Commandant, l'interpella Kira, qui l'avait remplacé à la console de communication.

Plus l'épuisement la gagnait et plus elle mettait d'ardeur à la tâche. Sisko l'avait déjà vue s'effondrer dans le turbolift, à la fin de longs quarts de travail. En tant que commandant, il appréciait cette énergie. Mais il craignait aussi qu'un jour Kira ne pousse la machine trop loin.

— Je reçois une communication de la Défense Planétaire bajoranne.

— En visuel, major.

Il retira le verre du synthétiseur et en sirota une gorgée, laissant la délicate fraîcheur du breuvage vivifier son corps surchauffé et douloureux. La Défense Planétaire bajoranne. Avant même d'entendre la communication, il savait qu'il se retrouverait avec un problème de plus sur les bras.

Kira avait remarqué son hésitation et l'interrogeait du regard.

— Commandant, proposa-t-elle, peut-être serait-il préférable que je m'en charge.

— En visuel, major Kira, répéta-t-il simplement. (Il avait déjà vu Kira s'essayer à la diplomatie et préférait s'occuper lui-même de ce problème.)

— Ils ne sont pas de bonne humeur, commandant...

Il lui adressa un petit sourire, en même temps qu'un léger signe de tête :

— J'ai déjà eu affaire à des Bajorans en colère, major.

Kira se mordit la lèvre. O'Brien pouffa et un mince sourire se dessina sur les lèvres de Dax. Ils commençaient tous à être un peu agressifs. En temps normal, l'équipage n'aurait pas réagi à cette pointe, et Sisko ne l'aurait pas lancée, non plus.

Il déposa son cappuccino sur le support réservé à cet effet près d'un poste de travail et se dirigea vers le centre du pupitre d'opération.

— En visuel, major.

— Bien, commandant.

L'écran vacilla un instant, puis il vit apparaître la tête et les épaules d'une Bajoranne. Elle devait avoir à peu près le même âge que Sisko, mais le poids de ses fonctions avait fait grisonner ses cheveux près des tempes. Ses yeux et sa bouche étaient cerclés de rides profondes, comme si elle avait porté depuis trop longtemps un lourd fardeau sur ses épaules. Derrière elle, il y avait un mur recouvert de médailles honorifiques et une baie vitrée par laquelle on voyait les fontaines de Bajor.

— Vous êtes le commandant Benjamin Sisko ?

— C'est moi, répondit-il, sans savoir à qui il s'adressait.

— Je suis le capitaine Litna, chef de la Défense Planétaire de Bajor. Notre planète a demandé à la Fédération d'assurer sa protection contre les Cardassiens. C'est vous qui êtes chargé de cette protection. Vous manquez à votre devoir.

Sisko sentit une incommensurable lassitude s'abattre sur lui. Il n'était pas un diplomate, et sa fatigue rendait sa tâche plus difficile encore.

— Le traité avec les Cardassiens... , commença-t-il.

— Le traité avec les Cardassiens, quel qu'il *a été*, ne tient plus, de toute évidence, commandant, coupa le capitaine Litna, en approchant son visage de l'écran. Nous sommes attaqués depuis hier soir.

— Il en cst de même pour nous. Mais les Cardassiens...

— Parfait. Puisque nous sommes dans la même situation, j'ose croire que vous ferez quelque chose pour y remédier.

Elle pressa une commande et l'écran vide avala son visage. Sisko faillit demander à Kira de rétablir la communication avec Litna, mais il songea que s'il arrivait à régler le problème sur la station, il résoudrait en même temps celui des Bajorans. Il serait alors temps de contacter le capitaine Litna. Pas avant.

Et le plus tôt serait le mieux.

— Bravo pour la diplomatie, commandant, le félicita Kira, les mains jointes derrière le dos, aussi tendue qu'un chat prêt à bondir sur sa proie. Le capitaine Litna est seulement la plus illustre combattante que Bajor ait jamais connue. Si nous ne faisons rien, c'est elle-même qui prendra l'affaire en main.

Sisko prit son cappuccino glacé et en avala trois grandes gorgées. L'amertume du café lui rappela qu'il avait oublié de demander du sucre, mais c'était sans importance. La boisson froide lui rafraîchit la gorge. Peut-être Kira avait-elle raison et qu'il valait mieux apaiser les sentiments du capitaine.

— Contactez-la, major, lui dit-il. Expliquez-lui que les Cardassiens ne sont pas en cause. Et aussi que nous cherchons une solution au problème.

— C'est ce que j'aurais pu faire en premier lieu, mentionna Kira. (Le regard de Sisko croisa le sien et elle eut l'élégance de rougir.) Commandant, ajouta-t-elle.

Elle retourna vers son poste, à la console de communications, et Sisko se pencha sur le pupitre d'opérations. Trop de voyants clignotaient, révélant des bris de courant partout sur la station.

— Si je peux me permettre, Benjamin, glissa Dax. Le fait que Bajor soit affecté apporte une toute nouvelle dimension à la situation. Nous n'avons encore éliminé aucune hypothèse, et il est possible que les Cardassiens y soient pour quelque chose.

Sisko se redressa et se frotta les reins. Sa tension s'était transformée en une douleur qui s'attaquait à tout son corps.

— C'est eux qui m'ont contacté, Dax, à cause de leurs vaisseaux. Je crois qu'il s'agit d'autre chose.

— C'était peut-être une ruse, suggéra O'Brien avec une espèce de grimace. Rien ne serait moins surprenant de leur part, ajouta-t-il d'une voix qui laissait transparaître une haine évidente.

Sisko se tourna vers lui pour le foudroyer du regard, mais O'Brien ne leva même pas les yeux de son travail.

— Commandant, annonça Kira. Le capitaine Litna ne répond pas à mon signal.

— Ces Bajorannes... , marmonna O'Brien.

Sisko ne releva pas son commentaire.

— Quand vous réussirez à la joindre, dites-lui bien que nous faisons tout ce qui est en notre pouvoir pour déterminer la cause de ces perturbations. Essayez de la calmer au sujet des Cardassiens, avant qu'elle ne pose un geste regrettable.

— Bien, commandant, répondit Kira, les doigts voletant au-dessus du tableau de communication.

— Cramponnez-vous, prévint soudainement Dax.

Sisko saisit le rebord du pupitre d'opérations au moment où les lumières commençaient à trembloter, prêt à encaisser le choc. Mais rien ne se passa.

— Alimentation des systèmes de chauffage interrompue, annonça Carter.

— Les communications sont coupées, dit Kira.

— Rien de grave, encore une fois, observa Dax. Aucun dommage majeur détecté.

— Sauf... , commença O'Brien, dont le silence était de mauvais augure.

Sisko s'éloigna du pupitre d'opérations à regret. La chaleur semblait avoir encore augmenté, même si cela semblait impossible. Il leva les yeux et vit O'Brien qui fronçait les sourcils, penché au-dessus de la console d'ingénierie.

— Sauf, monsieur O'Brien ?

— Eh bien, commandant, j'ai mis le réacteur sous surveillance depuis que je suis ici. La dernière onde de choc a diminué notre puissance de deux pour cent. Elle était déjà réduite de cinq pour cent à mon arrivée.

— Qu'essayez-vous de m'expliquer, chef ? demanda Sisko.

O'Brien releva la tête et il put voir que toute trace de fatigue avait disparu de son visage, pour faire place à un autre sentiment. Le découragement ? La frustration ? Sisko n'aurait su dire.

— Je vous mentionne simplement, commandant, que les fluctuations affectent le réacteur. Je dois effectuer quelques diagnostics supplémentaires, mais les faits démontrent que chaque fois que les lumières flanchent, l'intégrité structurelle du réacteur est affaiblie.

Sisko porta son regard sur le pupitre des opérations. Aucun des voyants du réacteur ne clignotait, mais un petit chiffre rouge indiquait que son rendement était en baisse de presque dix pour cent. Si la chute se poursuivait trop longtemps, les systèmes clés lâcheraient.

— Combien de temps les systèmes environnementaux tiendront-ils encore ?

— Je ne sais pas si nous irons jusque-là, dit O'Brien, mais nous devons rester vigilants. Personnellement, je crains davantage qu'une onde de choc plus violente que les autres ne désactive les champs de l'enveloppe du réacteur.

Sisko l'approuva d'un signe de tête. Inutile de lui en dire plus. Si le champ de force cédait, il ne resterait plus de la station, en une fraction de seconde, que quelques traces de radioactivité.

— Ne relâchez pas votre surveillance, monsieur O'Brien. Et je veux être informé de tout changement. (Il gravit les marches qui conduisaient à la console scientifique. La posture de Dax commençait à s'affaisser et il pouvait presque palper son épuisement.) Dax, vous avez eu un avertissement cette fois. Avez-vous pu apprendre quelque chose de neuf ?

— Pas vraiment, répondit-elle en agrippant la console d'une main. (Ses jointures étaient blanches. Depuis combien de temps était-elle en poste ? Trente-six, quarante heures ?) J'ai observé les mêmes fluctuations subspatiales qu'avant. Elles avaient cependant l'habitude de succéder au phénomène, alors que cette fois elles l'ont précédé. En fait, elles ne semblent suivre aucune structure définie.

— Ordinateur, quelle est la cause des perturbations subspatiales, demanda Sisko presque avec irritation.

— Plus de vingt distorsions subspatiales sont présentement enregistrées, répondit l'ordinateur. Aucune cause identifiable.

— J'ai déjà essayé, Benjamin. Les ordinateurs ne peuvent pas résoudre tous les problèmes. (Dax ellemême avait perdu son sang-froid habituel et elle lui avait répondu d'un ton sec, bien que pondéré.)

— Je sais cela, lui répondit-il d'un ton neutre, pour éviter toute distraction à son équipage. Vous avez l'air épuisée, Dax. Combien de quarts avez-vous faits ?

— Je crois que c'est mon troisième.

— Enseigne Carter, voulez-vous relever le lieutenant ? Dax, pourriez-vous expliquer à Carter les fluctuations subspatiales ?

Le lieutenant se redressa, comme si la menace d'être remplacé lui avait procuré une dose d'énergie supplémentaire.

— Je crois que je devrais rester ici, Benjamin.

— Et moi que vous devriez laisser votre place, Dax, pour aller prendre un repas et vous reposer. Nous devrons d'ailleurs tous prendre des pauses, si cette situation se prolonge. Présentez-vous dans une heure pour relever l'un d'entre nous.

— Benjamin... , fit Dax en secouant la tête.

Il leva une main pour l'arrêter, sachant à l'avance les protestations qu'elle élèverait : c'était elle qui possédait la plus grande expertise des phénomènes anormaux, et si la réponse à leurs problèmes devait être scientifique, il y avait de grandes chances pour que ce soit elle qui la trouve. Mais, à ce moment précis, l'argument ne tenait pas.

— Mon vieux, lui dit Sisko en souriant. Tu auras peut-être une intuition géniale après un peu de sommeil. Ainsi, nous bénéficierons tous de ton repos. À présent, rompez.

Dax poussa un long soupir et son corps sembla se faner à mesure que l'air s'en retira. Son visage avait un teint de cendre et des plaques brunes apparaissaient sur ses traits saillants.

— À vos ordres, commandant.

Carter la remplaça à la console scientifique et Sisko se rendit au poste d'ingénierie. O'Brien semblait fatigué, lui aussi, mais il était en poste depuis moins longtemps que Dax.

— Chef, lui dit Sisko, assurez d'abord une intégrité maximale des champs de force du réacteur. Vous vous occuperez ensuite des systèmes environnementaux. Remettez-les en marche le plus rapidement possible. Major, vous restez aux communications jusqu'à ce que O'Brien soit remplacé. Autre chose encore, Kira.

Elle s'arrêta et leva les yeux vers lui.

— Dès que les communications seront rétablies, contactez Starfleet. Expliquez-leur notre situation. Demandez s'ils ont des renseignements concernant ce qui se passe.

Kira lui jeta un regard qui le fit frissonner. Elle aimait trouver elle-même les réponses aux problèmes. Mais si le phénomène auquel ils étaient confrontés s'étendait de l'espace cardassien jusqu'à Bajor, c'est qu'il était d'une ampleur formidable.

Et il fallait trouver de quoi il s'agissait.

CHAPITRE 10

Garak disposa la lingerie fine plus près de la porte d'entrée. Non qu'elle eût une grande valeur, mais c'était des confections qui attiraient le regard. Il préférait ne pas laisser ses pièces les plus chères en vitrine quand il quittait sa boutique. S'il l'avait pu, il aurait transporté tous les vêtements au fond de son local et masqué les fenêtres. Mais il n'avait ni le temps ni l'espace de rangement nécessaires.

Il prit les capes vertes finement tissées de couleur or et émeraude, imprégnées d'un délicat parfum de sel et de pluie, et alla les porter à l'arrière. Il avait déjà rangé les robes de nuit tharéthiennes dans les cabines d'essayage et, derrière son bureau, les costumes cintrés, taillés à la mode du septième siècle cardassien, qui faisaient sa spécialité et s'ajustaient avec élégance à toutes les formes humanoïdes, avec quelques retouches.

Puis il inspecta l'atelier du regard. Les tableaux ajoutaient une touche colorée à son commerce, tout comme les rideaux des cabines d'essayage. Les miroirs reflétaient ses créations plus ordinaires et ne servaient qu'à rappeler aux passants l'existence d'un couturier sur Deep Space Neuf.

Garak esquissa un sourire. Au cours des prochains jours, il ne serait pas un couturier, mais un joueur. Il n'avait pas touché à des cartes depuis que ses compagnons avaient quitté la station. Il était peu fréquent que les humains et les Férengis jouent au poker avec cette parfaite rigueur qu'il appréciait. Il avait déjà assisté à une partie qui se déroulait dans l'arrière-salle du Quark's et décidé qu'il ne valait pas la peine d'y perdre son temps. Mais il avait entendu Quark énumérer quelques-unes des sommités qui allaient prendre part au tournoi et désirait ardemment se mesurer à elles. Considéré comme le meilleur joueur cardassien, il avait rarement eu l'occasion de se frotter à d'autres joueurs de sa trempe.

Le couturier pensait à cette partie depuis des mois, se remettant en mémoire certaines stratégies. Il avait même loué une holosuite — un lieu dégradant — et remplacé le programme du Quark's par le sien : une série de parties contre les plus grands joueurs de poker des deux derniers siècles. Il s'en était bien tiré, mais il manquait à l'imagerie tridimensionnelle l'atmosphère fiévreuse d'une vraie partie.

Garak prit l'écriteau portant FERMÉ et allait l'accrocher dans les portes quand celles-ci glissèrent dans leur ouverture. Deux Klingonnes, aux longs cheveux qui descendaient jusqu'au bas du dos, entrèrent précipitamment. Il avait toujours admiré l'uniforme des Klingonnes, qui possédait le caractère d'une armure, mais aussi une note de féminité, suggérée par la coupe en diamant du buste. Un jour, il concevrait une collection de vêtements Klingonne.

Même s'il savait que ces deux-là ne se la procureraient jamais. B'Etor et Lursa, deux renégates de la maison de Duras. Elles avaient tenté sans succès de renverser le Grand Conseil Klingon, quelques années auparavant, et essayaient depuis lors de recueillir la somme d'argent nécessaire pour mettre sur pied une nouvelle armée. Jusqu'à maintenant, leurs démarches n'avaient abouti à rien.

Elles n'avaient manifestement rien découvert de son implication dans l'échec de leur tentative de coup d'état.

— Mesdames, les salua-t-il en s'inclinant légèrement. Je suis au regret de vous apprendre que la boutique est fermée aujourd'hui.

Lursa s'empara d'un nounours de soie et le lacéra, puis elle le lança par terre.

— Ces colifichets ne nous intéressent pas.

— Vraiment ? s'étonna Garak. Et pourquoi donc vous rendre chez un couturier, dans ce cas ? — Ne te moque pas de nous, Cardassien, l'avertit B'Etor.

— Je m'en garderais bien, protesta Garak, qui y alla d'une nouvelle courbette. En quoi puis-je vous être utile ?

Lursa se dirigea vers son bureau d'un pas autoritaire, ses jambes musculeuses révélées par la fente de sa jupe. Garak eut un mouvement de recul lorsqu'elle renversa violemment un support sur lequel étaient suspendus trois costumes cardassiens. Il la rejoignit à son bureau, contre lequel elle avait pris appui, et B'Etor le suivit.

Peut-être, après tout, avaient-elles appris qu'il les avait dénoncées à la Fédération, au moment de leur dernier passage sur Deep Space Neuf. La petite fortune en latinum endoré qu'il leur avait coûté... Les femmes comme elles n'oubliaient pas facilement.

— Nous avons appris que tu vas participer au tournoi de cartes, dit B'Etor.

Garak répondit d'un signe de tête affirmatif, peu enchanté de devoir pratiquer si tôt son flegme de joueur de poker. Ces Klingonnes étaient en train de lui gâcher sa journée.

— Tes affaires doivent bien marcher, si tu peux allonger les frais d'entrée de cent barres de latininum, fit remarquer Lursa.

— Je suis couturier, madame, s'offusqua Garak, en se permettant de hausser le ton pour protester. Pas un vulgaire vendeur de guenilles.

B'Etor laissa éclater un rire cristallin :

— Les gens de modeste condition se froissent aisément.

— Nous avons une proposition à te faire, dit Lursa, coupant court aux bavardages.

— Je suis toujours intéressé par les affaires, assura Garak, joignant les mains.

Il lui fallait se montrer patient. Il trouvait curieux qu'elles viennent le voir, après ce qu'il leur avait fait, mais il est vrai qu'elles n'avaient aucun autre contact sur la station. Ou bien elles avaient vraiment besoin de son aide, ou bien elles voulaient lui faire payer sa trahison.

— C'est ce que nous avons pensé, dit Lursa.

Comme par enchantement, un paquet de cartes apparut entre ses mains. Elle le mélangea deux fois et le déposa sur le bureau.

— Quelle adresse, la complimenta le couturier.

Il allait prendre les cartes, mais B'Etor l'arrêta. Garak sentit la froideur du bras de la Klingonne contre le sien et il crut un instant qu'elle allait l'empoigner. B'Etor posa plutôt la main sur le paquet et coupa, puis elle fit signe à Lursa de distribuer.

— Voilà un paquet destiné à six joueurs, expliqua B'Etor. Nous en aurons aussi d'autres, préparés pour cinq et sept joueurs, en fonction de chaque table.

Garak avait la gorge sèche. En comparaison du reste de la station, il faisait frais dans la boutique, mais la panne des contrôles climatiques rendait l'air confiné.

Lursa distribua sur le bureau six mains de deux cartes fermées chacune. Elle pointa un doigt vers la deuxième main à la gauche du donneur.

— C'est cette main qui sera la plus forte dans les paquets à six joueurs. Dans ceux de cinq, ce sera celle qui se trouvera à la droite immédiate du donneur ; dans ceux de sept, la meilleure main sera la troisième à la droite du donneur.

Garak hocha la tête. Lursa fit peser sur lui un regard insistant. Pas encore tout à fait certain de ce qu'elles voulaient, il préféra garder le silence.

— Toutes les autres mains, acheva B'Etor, seront assez fortes pour soutenir des mises élevées. Mais nous connaîtrons la main gagnante.

Lursa déposa les trois cartes découvertes, puis ensuite les deux cartes restantes. Garak tendit le bras au-dessus du bureau et retourna la main gagnante. Les deux femmes se turent et il sourit, sachant bien qu'elles attendaient quelque chose de lui.

— Cette combine ne date pas d'hier, fit-il observer. Et vous aurez besoin de moi de toute façon, même si vous parvenez à tromper la surveillance de Quark et à substituer vos paquets — grâce à la complicité d'un donneur —, puisqu'il ne vous permettra pas de jouer toutes les deux à la même table. N'est-ce pas ?

— Sois sans crainte, nous nous serons occupées des donneurs, lui signifia Lursa.

— Nous en contrôlerons trois sur dix, précisa B'Etor. Mais nous avons besoin d'aide à la table, en effet.

Garak les regarda avec attention. Il ignorait toujours pour quelle raison elles s'adressaient à lui.

— Je présume que vous n'en avez encore parlé à personne ?

B'Etor jeta un coup d'œil en direction de Lursa, ce qui répondit à sa question. Elles avaient déjà sollicité un certain nombre de personnes et en cherchait une autre. Plus elles avaient de joueurs de leur côté, plus les chances augmentaient que l'un d'eux soit assis à la bonne place. Ce genre d'arnaque, quand elle est bien exécutée, peut délester trois ou quatre joueurs à une table.

Garak ramassa quelques-unes des autres mains de deux cartes et les examina. Elles étaient toutes intéressantes et valaient la peine de parier, mais aucune n'était aussi forte que la main gagnante.

— Où est mon avantage là-dedans ?

— Si tu utilises un de ces paquets et que tu joues le jeu jusqu'au bout, nous récoltons vingt pour cent du total.

Il commençait finalement à comprendre.

— Voyons voir. Quatre-vingt joueurs, à cent barres de latinum endoré chacun, cela fait huit mille barres en tout. Enlevons les cinq pour cent de Quark, il reste sept mille six cent barres. Vingt pour cent de ce montant laisse mille cinq cent vingt barres. Pas mal, même en comptant les dépenses.

Lursa hocha la tête.

— Et alors ? demanda B'Etor.

— Votre proposition est généreuse, finassa Garak, qui faisait semblait de s'y intéresser. Mais il m'est hélas impossible d'accepter.

Les deux femmes reculèrent d'un pas.

— Espèce de crapule cardassienne ! cracha Lursa. C'est un marché avantageux pour toi. Tu reçois une main invincible et...

— Si je suis assis à la bonne place, souligna Garak, je pourrais empocher plus de cinq mille barres de latinum endoré avec cette seule main. J'avoue qu'en toute autre occasion, il m'aurait fait plaisir de me joindre à vous. Mais quand il s'agit de poker, mesdames, je suis un joueur, pas un tricheur. Je pratique un jeu technique et je tiens à conserver ma réputation. Si quelqu'un nous voyait ensemble, il pourrait soupçonner quelque chose, et je ne peux me le permettre.

— Tout le monde te soupçonne, espèce d'imbécile, rétorqua B'Etor.

— D'être un espion cardassien, compléta Garak avec un sourire. Mais ce rôle me plaît. Il me donne une aura de mystère que je ne déteste pas.

— C'est incroyable, s'exclama Lursa. Il n'y a qu'un imbécile pour refuser une méthode aussi infaillible.

Garak se balança sur ses talons.

— Aucun plan n'est infaillible, mesdames. Ce truc m'est familier. D'autres pourraient le connaître.

— As-tu l'intention de nous dénoncer ? demanda B'Etor.

— À qui ? À Quark ? C'est un Férengi. Il a sûrement lui-même mis au point un moyen de tricher. Non, je ne vous dénoncerai pas. Pas plus que je ne tiens à être une de vos victimes. Aussi vous demanderais-je, en échange de mon silence, votre promesse d'être prévenu quand je me trouverai à une table où un de vos paquets sera en circulation, exigea-t-il en ramassant les cartes sur son bureau.

Lursa les lui arracha des mains. Elles disparurent dans un geste leste qui impressionna Garak.

— J'ai besoin de votre parole, insista Garak.

Lursa s'arrêta et se tourna vers lui.

— Tu es plus sot qu'un paysan romulan.

— Votre promesse, répéta Garak, se contentant de sourire.

— Nous te préviendrons, céda B'Etor.

Le Cardassien s'inclina légèrement devant les deux femmes.

— Je vous souhaite bonne chance, mesdames.

Les portes automatiques s'ouvrirent et les deux Klingonnes sortirent sans se retourner. Garak ramassa son écriteau et l'accrocha avec soin. Il ne leur avait pas dit le plus important, elles n'auraient pas pu comprendre. Ceux qui jouaient pour l'argent étaient des imbéciles. Il importait peu à Garak de payer les cent barres de latinum endoré — ni même de les perdre, s'il le fallait — pour se mesurer à des joueurs de son calibre.

C'était la partie, elle seule, qui importait.

CHAPITRE 11

Appuyé contre un mur près de la porte de l'arrière-salle du Quark's, Bashir observait le mouvement de la foule. Il portait un habit à queue noir, au veston bien ajusté et dont le pantalon faisait paraître ses jambes plus longues. Le jeune médecin en avait fait l'acquisition durant sa dernière année à l'Académie, quand des étudiants avaient organisé un voyage de jeu sur Risa qui n'avait jamais eu lieu. Bashir attendait depuis lors une chance de porter cet élégant costume de jeu.

L'occasion se présentait enfin. Il ne manquait plus qu'une jeune femme ravissante à son bras, et l'image de viveur romantique et irrésistible qu'il voulait donner serait complète.

Mais personne ne faisait attention à lui. Le bruit des conversations n'était qu'un sourd bourdonnement, il était difficile de distinguer une voix parmi les autres. Quark, occupé à faire ses ultimes recommandations à ses donneurs, gesticulait avec surexcitation. La Meepode, qui se remettait de ses blessures de la veille, entra dans la salle en boitillant. Elle dégageait une légère odeur de chair putréfiée, un problème qui affligeait tous les Meepods. Bashir n'enviait pas la personne qui serait assise à côté d'elle.

Pas plus qu'il n'enviait celle qui allait prendre place auprès du Grabanster. Le mâle rondelet à la fourrure orange se tenait sur le seuil de la porte, répandant dans toute cette zone sa senteur de chien mouillé.

Mais c'était le groupe de Romulans que Bashir observait avec le plus d'attention. Il avait brièvement conversé avec Darak et Kinsak, la nuit précédente, et leur absence de réaction à la mort de Naralek l'avait surpris. Ce matin, même s'ils gardaient leurs distances avec les Klingons, ils avaient éclaté de rire à deux reprises.

Un Vulcain passa, la tête penchée comme s'il avait été plongé dans une profonde réflexion. Bashir se retourna pour s'assurer qu'il avait bien vu. Oui, c'était bien un Vulcain. Curieux. Il n'avait pas eu l'occasion d'en rencontrer beaucoup durant son service, mais il avait effectué des études approfondies sur leur race à l'Académie. Leur place n'était pas dans une salle de jeu.

— Ah, vous voilà, séduisant jeune homme !

C'était une voix gutturale, chaude, et féminine, qui s'adressait à lui. Bashir se tourna dans sa direction, et le regretta aussitôt.

Cynthia Jones se tenait devant lui, vêtue d'une robe rose taillée dans un tissu si fin qu'il ne laissait rien à l'imagination. Elle exhalait un lourd parfum de roses, qui aurait été exquis si elle n'y avait pas mariné. La femme laissa un doigt courir sur la manche de son habit.

— Vous m'avez fait faux bond la nuit dernière, le gronda-t-elle.

Bashir devint cramoisi. Il n'avait nullement eu le désir de la revoir. Depuis leur premier contact, sur les quais de débarquement, elle n'avait cessé de le poursuivre de ses assiduités. Le tribble, engoncé sous son bras gauche comme un sac à main, ne cessait de couiner après lui.

— Je... j'ai été retenu par une urgence médicale.

— Le meurtre, bien sûr... , conjectura-t-elle en fronçant le nez. Quelle horreur. Je présume que vous ne pouviez plus rien faire ?

— Elle était morte depuis longtemps quand je l'ai vue. Mais j'ai dû soigner la Meepode et Sergei Davidovich... séparément.

— Ces deux-là se battent constamment, ricana Cynthia. C'est une tradition. Ils se détestent. Leur querelle remonte à une partie de stud à cinq cartes, jouée pour des crédits sur un cargo de ravitaillement. Paraît-il que la Meepode a exigé qu'il ouvre son jeu et que Davidovich a refusé... Ou était-ce Sergei qui a demandé et l'autre refusé...? Je ne m'en souviens plus, mais peu importe. Leur rancune est idiote, comme toutes les rancunes, d'ailleurs . (Elle passa son bras sous le sien.) Et vous, y a-t-il quelqu'un qui vous garde rancune ?

Il haussa les sourcils et chercha du regard un moyen de mettre fin à cette conversation. Garak, le Cardassien, fut le seul à le remarquer. Il le salua d'un signe de tête, que Bashir lui rendit, et lui sourit. Ils étaient en quelque sorte devenus amis, après que le jeune médecin lui eut prêté main forte pour empêcher une transaction entre un terroriste bajoran et deux Klingonnes animées par d'infâmes desseins. Il avait vu les deux femmes pénétrer dans l'arrière-salle, un peu plus tôt.

Tant d'animosité et de rancœur, ayant si peu à voir avec la partie...

— Non, répondit Bashir. Du moins pas encore.

Cynthia partit d'un nouvel éclat de rire et se pressa tout contre lui. « On y va ? »

Enfin délivré ! Bashir se sentit envahi par un soulagement intense.

— Hélas, c'est impossible, dit-il. Quark ne me laissera pas entrer.

Elle posa sur ses lèvres un doigt parfaitement manucuré. Le parfum de roses assaillit les narines du médecin en chef et il dut se retenir pour ne pas éternuer.

— Vous disiez pourtant que personne ne vous en voulait.

— La vérité est que Quark ne me croit assez qualifié pour prendre part au jeu.

Cynthia soupira et retira son doigt.

— Quark est incapable de faire la différence entre un joueur expérimenté et un débutant. Tout ce qu'il connaît, c'est la couleur du latinum endoré.

Bashir sourit en retirant son bras de son étreinte.

— Je crois que je vais lui en glisser un mot, dit-il, et il posa la main au creux des reins de Cynthia Jones pour la pousser à l'intérieur de la salle. Allez prendre votre place. Je vais voir ce que je peux faire.

Elle lui jeta un regard langoureux et flotta jusqu'à l'arrière-salle. Du moins, elle semblait flotter ; sa robe cachait presque complètement ses pieds minuscules.

Bashir éternua enfin. Il était imprégné par l'odeur de roses mortes. Il lui faudrait maintenant porter son habit au blanchissage.

On entendit glousser le Grand Nagus des Férengis, qui trônait dans son fauteuil au milieu de la pièce. Parlant d'animosité... S'il avait dû entendre ce caquetage à longueur de journée, Bashir serait devenu fou.

Une créature de grande taille et mince, avec une tête d'obsidienne sans yeux apparents passa devant lui. Bashir la regarda avec étonnement, et chercha à l'identifier parmi les souvenirs de ses séminaires en anatomie extraterrestre, mais elle ne ressemblait à rien. Il lui faudrait interroger l'ordinateur une fois de retour à son bureau.

Quark grimpa sur un fauteuil et frappa dans ses mains pour demander l'attention. Bashir se glissa dans l'arrière-salle. Quark lui avait peut-être refusé un siège à la table quelques semaines auparavant, mais cela ne l'empêcherait pas d'assister à la partie — du moins jusqu'à ce que le Férengi le jette dehors.

Quand la rumeur se fut apaisée, Quark déploya un large sourire :

— Je déclare ouvert le premier Tournoi de Poker Annuel de Deep Space Neuf.

Un tonnerre de sifflements et d'applaudissements retentit dans la salle. Bashir sourit. Malgré le meurtre et les problèmes qui perturbaient la station, l'atmosphère était à la gaieté, ce matin.

— Mon frère Rom vérifiera de nouveau si votre nom est inscrit sur la liste de ceux qui ont acquitté leurs droits d'entrée. Ceux qui n'ont pas payé seront expulsés. Je suis sûr que tous se conformeront à ce règlement... qui assurera au gagnant des gains mirobolants !

Les acclamations redoublèrent et on entendit monter du fond de la salle une puissante stridulation. Le rire du Grand Nagus couvrait tous les bruits dans la salle.

Les lumières se mirent à clignoter. L'ovation cessa abruptement, comme si on avait soudain enfoncé des baillons dans la bouche de chacun des joueurs. Bashir s'appuya contre un mur et sentit un frisson lui parcourir l'échine. Quand les lumières s'étaient éteintes, la nuit précédente, quelqu'un était mort.

Outre les problèmes de la station, tout le monde savait à présent que le vaisseau férengi avait été détruit. Une conversation surprise par Bashir au Réplimat de la Promenade laissait entendre que la station était attaquée. Les défaillances étaient nombreuses, aucun doute là-dessus. Il avait dû se raser dans son bureau ce matin parce que ses quartiers étaient privés d'eau chaude. Il n'avait toujours pas bu sa tasse de thé et les systèmes environnementaux ne fonctionnaient plus. Il faisait chaud dans l'arrière-salle : durant le tournoi, la chaleur atteindrait certainement des niveaux insupportables.

Les lumières vacillèrent une seconde fois, mais tinrent bon.

Quark agita ses mains levées. Les fluctuations d'énergie le rendaient manifestement nerveux lui aussi.

— Vous trouverez vos places désignées inscrites sur le tableau qui est au mur. Mon frère vous remettra vos chips à votre fauteuil, une fois votre inscription vérifiée. Je vous prie de les compter en présence du donneur afin de vous assurer que le montant est exact.

— Tu n'espères quand même pas nous flouer sur les jetons, hein, Quark ? demanda un homme chauve, sans se départir de son cigare mâchouillé.

Bashir sourit. La scène était exactement telle qu'il l'avait imaginée : des joueurs au sans-gêne absolu, tout aussi prêts à en découdre qu'à jouer. Quark laissa échapper un grand soupir.

— Je vous demande de compter les chips afin de garantir que la partie se joue en toute régularité. Nous voulons que tout le monde s'amuse durant ce tournoi.

— ... et ne rien perdre de vos cinq pour cent, ajouta sans sourire l'homme au cheveux grisonnants assis à la table la plus proche de Quark.

— Eh bien, se défendit le Férengi en ouvrant un large sourire hypocrite, il faut bien que la maison touche un certain profit, n'est-ce pas ?

— Il n'y a aucune raison de jouer si ce n'est pour faire des gains.

Bashir tourna vivement la tête. Il avait reconnu cette voix cassante et sarcastique. Odo se tenait dans l'embrasure de la porte, à gauche du médecin, et, fait étonnant, ne portait pas son uniforme. Le chef de la sécurité salua le médecin quand leurs regards se croisèrent. Quark, lui, fronça les sourcils dès qu'il le reconnut.

— La partie doit bientôt commencer, aussi vous demanderais-je de vous préparer. Et que le meilleur gagne.

Quark descendit du fauteuil alors que s'élevait un brouhaha et que chacun gagnait les listes accrochées aux murs. Quark se fraya un passage jusqu'à l'entrée. Rom finissait de déposer les barres de latinum endoré en lieu sûr, dans un réduit où, Bashir n'en doutait pas, elles ne resteraient pas bien longtemps.

— Rom ! chuinta Quark.

— Tout est là, Quark, dit-il en levant les yeux.

Bashir n'aurait pas parié là-dessus, mais le compte exact de l'argent était l'affaire de Quark. Il se rapprocha pour mieux entendre leur conversation.

— Des nouvelles de Riker ? demanda Quark.

Bashir sursauta. Will Riker ? Le commandant en second du vaisseau stellaire *Entreprise* ? Il ne savait pas que ce vaisseau croisait dans les parages.

— Il ne viendra pas, l'informa Rom. Il a envoyé un message hier soir, mais il vient seulement de nous être transmis, à cause de tous les problèmes sur Ops.

— Il ne vient pas ! s'exclama Quark en saisissant l'oreille de son frère. Tu en es sûr ?

Rom tira de sa poche un bout de papier chiffonné.

— J'en ai fait une copie pour toi. J'étais certain que tu ne me croirais pas.

Une odeur de papier sec et de naphtaline monta aux narines de Bashir et il se retourna, pour se retrouver nez à nez avec le Grand Nagus. Un personnage fascinant. Bashir aurait aimé avoir l'occasion d'examiner ses gigantesques oreilles.

— Vous ai-je entendu dire que quelqu'un ne viendrait pas ? demanda le Nagus de sa voix nasillarde.

Quark arracha le bout de papier des mains de Rom et y jeta un coup d'œil.

— Le commander Riker du vaisseau de la Fédération *Entreprise* devait être parmi nous. Il présente ses excuses. Il doit aller sauver une planète, ou quelque chose comme ça.

Quark fit claquer la feuille et la tendit à Rom avec rudesse.

— Quel dommage, commenta le Nagus en souriant. Il est connu comme l'un des joueurs les plus habiles. Quelle perte déplorable.

Le Nagus sortit d'un pas traînant sans que Quark ne semble même remarquer que son leader avait quitté la salle. La nouvelle se répandait déjà que Riker serait absent et Bashir put observer que plusieurs joueurs semblaient soulagés. Selon toute apparence, Riker excellait à ce jeu.

Pour Bashir, cela n'avait rien d'étonnant. Il avait rencontré Riker à deux reprises et le commander lui avait semblé être un de ces hommes qui aiment relever les défis. Nature indomptée, pourvu d'un physique agréable et doué d'une compétence à toute épreuve, Riker avait un faible pour les conquêtes féminines. Il avait poursuivi une carrière remplie d'aventures avec Starfleet. Un type comme lui ne pouvait qu'être un maître au poker.

— Nous ne pouvons pas commencer avec un joueur manquant, dit Quark à Rom.

— Tu pourrais prendre sa place, suggéra Rom.

— Imbécile ! s'écria Quark qui lui attrapa l'oreille et la secoua sans ménagement. C'est moi le patron. Je n'ai pas le droit de jouer.

Bashir lissa son habit du revers de la main pour paraître plus présentable. Tout à coup, Quark n'était plus le patron férengi d'un bar minable, mais le billet d'entrée pour le grand jeu.

— Peut-être que je pourrais... , commença Rom.

— Non ! vociféra Quark en lui tordant son énorme conque de plus belle, et Rom tomba à genoux. Tu ne joueras pas. Nog ne jouera pas. La fille du Dabo ne jouera pas. Maintenant reste tranquille et laisse-moi réfléchir !

Bashir était un peu rouillé, bien sûr. Puisque Quark l'envoyait promener, il s'apprêtait à partir pour Risa durant ses vacances, pour une séquence de jeu intensive.

Mais il n'avait pas joué souvent depuis son arrivée sur la station.

Quark lâcha l'oreille de Rom et se mit à marcher de long en large.

— Nous ne pouvons tout de même pas ramasser le premier venu sur la Promenade...

— Ce ne sera pas nécessaire, intervint Bashir en venant se placer devant Quark, qui fonça presque sur lui. Jc veux jouer, moi.

— Vous ? ! ? s'écria Quark en se tournant vers Rom, et les deux Férengis se mirent à ricaner, produisant à eux deux un son qui rivalisait avec le rire du grand Nagus. Vous êtes un médecin, pas un joueur ! C'est à peine si vous arrivez à tenir une bière évarienne !

— Je peux cependant jouer au poker.

— « Je peux cependant jouer au poker », nasilla Quark, imitant les inflexions de sa voix. Mais *tout le monde* peut jouer au poker. Mon neveu peut jouer au poker. La seule chose, c'est qu'il ne joue pas très bien.

— Je suis certain que je pourrais battre votre neveu, ironisa Bashir. Et je suis prêt à parier que je peux battre la plupart de ceux qui se trouvent dans cette salle.

— Je n'en doute pas... , dit Quark, que vous puissiez battre mon neveu, je veux dire.

— Avec un bâton ! ajouta Rom.

Ils s'esclaffèrent de nouveau, et se tordirent de rire en se tapant les cuisses. Bashir recula et attendit que leur gaieté se fut un peu apaisée.

— Je suis un joueur de poker de tout premier ordre

— De tout premier ordre pour perdre ! en remit Rom, gloussant si fort qu'il s'étrangla. Quark lui donna de grandes tapes dans le dos et se gondola de concert avec lui.

— J'ai l'argent qu'il faut pour payer le tarif d'entrée.

Le sourire de Quark s'effaça aussitôt, comme s'il n'avait jamais existé. Le Férengi se redressa et s'approcha de Bashir, et même s'il ne lui arrivait qu'à la poitrine, il parut soudainement au médecin plus grand et plus fort.

— Vous avez cent barres de latinum endoré ? Comment un médecin de la Fédération peut-il devenir aussi riche ?

— Il ne s'agit pas d'une somme si astronomique, Quark.

— Ce l'est, quand elle est dépensée pour jouer au poker pendant une heure à peine.

— Mon intention n'est pas de jouer pendant seulement une heure.

— Vous ne m'avez pas répondu, docteur. D'où provient cette petite fortune ?

— Faites-vous subir ce genre d'interrogatoire à tous les joueurs qui viennent acquitter leurs frais d'entrée ?

— La plupart d'entre eux ne travaillent pas pour la Fédération.

— Mais vous étiez prêt à admettre Will Riker à la table.

— Riker est un joueur de poker de renom. On sait très bien où il s'est procuré cet argent.

Bashir se croisa les bras. Il n'allait certainement pas révéler la vérité à Quark. Personne sur la station n'était au courant du petit héritage qu'il avait reçu et qu'il n'avait pas touché depuis qu'il avait terminé ses études.

— J'ai amassé cet argent de la même manière que le commander Riker.

— C'est-à-dire ? s'enquit Quark avec un large sourire.

— Je l'ai gagné. Au poker.

Quark recula la tête et le regarda droit dans les yeux. Bashir ne cilla pas. Il blufferait. Quark plissa les yeux, comme s'il avait mis à jour la duplicité du médecin en chef.

— La somme est dans mon bureau.

Les yeux de Quark s'agrandirent démesurément, puis il poussa un long soupir.

— Allez le chercher. Vous prenez le fauteuil de Riker. Mais revenez le plus vite possible. Je ne retarderai pas la partie indéfiniment pour vous.

— Vous n'aurez pas à la retarder du tout. J'en ai pour un instant, souffla-t-il en s'empressant de prendre congé de Quark avant qu'il ne redevienne lui-même. Oh, j'allais oublier. Merci, Quark. Je crois que je vais m'amuser follement.

— Ouais, répondit-il. Je le sens. Nous nous tordons déjà de plaisir.

CHAPITRE 12

Jake s'appuya contre un mur de métal de la Promenade afin de reprendre son souffle. Nog essaya bien de le tirer par la manche de sa chemise, mais Jake avait besoin de réfléchir un moment.

La veille, il était rentré à la maison passé minuit, son costume maculé de traces huileuses dont il n'aurait su dire d'où elles provenaient. Les deux jeunes ados avaient eu du mal à remonter la galerie de service pour échapper à l'un des gardes de Odo, qu'ils avaient finalement réussi à semer. Jake se sentait prêt à tout avouer en arrivant à ses quartiers, mais son père était absent.

Les problèmes d'ingénierie retenaient toujours Sisko sur Ops. Il avait laissé un message à Jake lui suggérant de l'appeler s'il voulait lui parler.

Jake n'avait rien à lui dire, sauf peut-être lui demander comment il se faisait qu'il n'était *jamais* là, contrairement aux pères des autres garçons.

— Tu viens ou pas ? lui demanda Nog.

— Ouais, j'arrive, répondit Jake, qui sentit son estomac se serrer et regretta de n'avoir avalé qu'un jus d'orange en vitesse avant de partir le matin.

Il rouvrit les yeux. Deux Klingonnes dont les jupes virevoltaient passèrent devant lui, suivies par un serviteur hypérien qui pressait le pas pour les rejoindre. Vinrent ensuite deux Férengis qui conversaient avec animation. Personne ne semblait remarquer l'odeur de fumée qui flottait dans l'air.

— Qu'est-ce que nous allons faire au juste, Nog ? voulut savoir Jake.

— C'est tout simple : *tu me suis*, répliqua l'autre, qui escalada rapidement, dans un fracas métallique, l'escalier qui menait au deuxième niveau de la Promenade.

Jake lui emboîta le pas. Une fois en haut, Nog ouvrit une porte de service qui menait à l'étage supérieur du Quark's et tous deux s'y engouffrèrent.

Nog fouilla dans un coin et en retira un bidule qui ressemblait à un modèle ancien de tricordeur. Mais ce n'en était pas un. Des têtes férengis étaient gravées à l'endos de l'instrument muni de boutons multicolores qui bipaient quand Nog n'appuyait pas sur le bon.

Ils regagnèrent le corridor et Nog s'arrêta devant la trappe d'accès qu'ils avaient empruntée le soir précédent.

— J'ai déjà vu ce qu'il y a là-dedans, chuchota Jake, que cette petite équipée commençait à lasser.

Qu'est-ce que ça pouvait bien lui faire si Quark trichait ? Cette histoire aurait intéressé son père, mais il était trop occupé. De toute façon, ce n'était pas aussi important que de veiller au bon fonctionnement de la station.

Rien n'était plus important.

Nog glissa l'appareil dans la poche de son gilet et commença à retirer le panneau qui donnait accès à la galerie de service.

— Je ne retourne pas là-dedans, dit Jake. On a failli se faire épingler hier.

Nog se contenta de poursuivre sa besogne :

— De toute façon, tu ne viens pas avec moi. Tu restes ici pour faire le guet.

— Ah oui ? Comment ça ?

— Je vais aller enregistrer les émissions des senseurs installés au-dessus de l'arrière-salle, expliqua Nog en lui tendant l'appareil.

— Mais pourquoi ?

L'instrument était chaud dans sa paume et facile à manipuler. La plupart des équipements conçus pour les humains étaient généralement trop gros pour ses mains, même depuis sa dernière poussée de croissance. Nog éclata de rire.

— Pour pouvoir dépister les signaux, qu'est-ce que tu crois. Il faut nécessairement que ce type de signal ne risque pas d'interférer avec les opérations de la station. Ce doit donc être facile d'en découvrir la source.

Interférer avec les opérations de la station ? Jake fronça les sourcils.

— Mais de quoi parles-tu ? demanda-t-il.

— De ce truc, répondit Nog en l'ôtant des mains de Jake. Il analyse les signaux émis par les senseurs. Il faut bien que quelqu'un, dans une pièce séparée, contrôle les senseurs installés dans le plafond.

— Tu veux dire que ces senseurs envoient des signaux dans toute la station ?

Nog tira la trappe d'accès et s'engagea à l'intérieur.

— J'en mettrais ma main au feu. D'ailleurs, je ne tarderai pas à en avoir la certitude, déclara-t-il en arrêtant son regard sur Jake. Ne reste pas planté là. Ferme la trappe derrière moi, mais pas hermétiquement. À mon retour, je frapperai trois coups ; tu m'ouvriras s'il n'y a personne en vue. En cas de pépin, reste appuyé contre le panneau jusqu'à ce que la voie soit libre. Tu piges ?

— Et si on se fait attraper ?

— C'est à toi de veiller à ce que ça n'arrive pas.

Nog disparut dans la galerie de service. Jake regarda autour de lui et referma la trappe, la laissant légèrement entrouverte. Puis il se rendit jusqu'à la rambarde et plongea le regard sur la Promenade.

Les deux Klingonnes sortaient de la boutique de Garak. Elles semblaient courroucées, mais les Klingons avaient toujours l'air d'être en colère. Ou plutôt, l'air féroce ; ils arboraient toujours une expression féroce.

Une humaine, blonde, vêtue d'une robe diaphane et qui transportait une créature poilue — un tribble ? — entra au Quark's. Jake courut jusqu'à l'escalier, dans l'espoir de trouver un meilleur poste d'observation, mais la femme s'était déjà perdue dans la foule rassemblée devant l'entrée. Un léger parfum de roses s'était mêlé à l'odeur de fumée.

Jake jeta un coup d'œil en direction des galeries. Nog n'était toujours pas revenu.

Il regagna son poste sans perdre de temps. Les signaux que Quark envoyait à travers la station, avec son dispositif férengi, pouvaient-ils en perturber les opérations ? Jake aurait-il pu résoudre le mystère des interruptions de courant et du même coup mettre fin au complot pour tricher ?

Et peut-être aussi perdre son ami.

Il poussa un soupir. Il faudrait parler de tout ça avec Nog.

Quand il vit arriver Keiko O'Brien, marchant de ce pas mesuré qu'il connaissait bien, Jake se colla contre le mur. Il ne fallait pas qu'elle le voit. Le garçon vérifia l'heure à sa montre. Il avait cru que les cours seraient annulés à cause des problèmes, bien que personne ne lui ait dit quoi que ce soit en ce sens. De toute évidence il s'était trompé ; l'enseignante se rendait à sa classe.

Un Vulcain la contourna et disparut dans le Quark's. Jake attendit que madame O'Brien soit hors de son champ de vision avant de risquer un œil par-dessus la rambarde et d'observer ce qui se passait à l'intérieur du bar. Il paraissait vide. Jake avait pourtant vu un tas de gens y pénétrer depuis qu'il en surveillait l'entrée.

Combien de personnes Quark avait-il invitées ? Et quelle était au juste l'importance de cet événement ?

Suffisante, en tout cas, pour que Quark dépense beaucoup d'argent, péniblement amassé, afin d'installer des équipements sophistiqués dans le plafond de l'arrière-salle.

Les lumières vacillèrent. Jake tourna aussitôt la tête vers la trappe d'accès. Il n'aurait pas aimé être coincé là-dedans sans éclairage et espéra que tout se passait bien pour Nog.

Mais les lumières ne s'éteignirent pas, et le fils du commandant laissa échapper un long soupir de soulagement.

Sortant de son bureau, Odo s'arrêta et s'adressa à deux de ses assistants, avant de prendre la direction du bar. Si quelque chose clochait, Odo le découvrirait sûrement, et Jake aurait la conscience tranquille.

Il se mit à arpenter le corridor devant la trappe d'accès. Pourquoi Nog était-il si long à revenir ? Ils avaient des cours. Ils allaient se faire prendre. Le bruit, faible, d'une ovation monta du Quark's. Il se passait quelque chose. Allons, Nog, dépêche-toi.

De nouveau, les lumières se mirent à clignoter et Jake s'arc-bouta au mur, mais tout resta calme. Les tremblements qui agitaient la station à la suite des défaillances de l'éclairage ne s'étaient pas produits depuis un bout de temps et Jake n'avait aucune envie que ça recommence. Il fixa son regard sur les luminaires du plafond, en priant pour qu'ils restent allumés.

Et ils le restèrent.

Pourquoi Nog ne revenait-il pas ? Jake ne pouvait pas l'abandonner, pas plus qu'il n'avait envie d'aller le chercher. Que s'était-il passé derrière la trappe quand la lumière avait fait défaut ? Et si quelque chose avait explosé ? Qu'arriverait-il si les ondes bizarres émises par les senseurs avaient blessé Nog ?

Au moment où Jake allait retirer la trappe pour s'introduire dans la galerie, il entendit frapper trois petits coups. Il inspecta le corridor à droite et à gauche : il n'y avait personne d'autre que lui sur le deuxième niveau de la Promenade. Quand il ouvrit le panneau, Nog en déboula et atterrit sur ses pieds, un sourire en coin.

— Tu en as mis du temps ! s'exclama Jake.

Nog posa un doigt sur sa bouche.

— Les senseurs sont en opération, chuchota-t-il. Et ils fonctionnent très bien.

— Comment le sais-tu ?

Nog donna quelques tapes sur la poche de son gilet, d'où dépassait l'appareil.

— Mon oncle doit être en train de ramasser un sacré magot. La salle est bondée, dit-il en prenant l'instrument dont l'écran rouge clignotait. Viens avec moi.

— Où ça ?

— Je l'ignore, ricana Nog. Mais nous le saurons bientôt.

Il tint le détecteur devant lui et se dirigea vers la balustrade de la Promenade.

— Quelqu'un va finir par nous remarquer, avec ce truc.

— Et puis après ? Il n'aura pas la moindre idée de ce que je suis en train de faire.

Jake commençait à redouter le pire. On allait les repérer. Serrant le détecteur contre lui, Nog descendit l'escalier. Jake ne le lâcha pas d'une semelle.

— Où as-tu pris ce truc ? demanda-t-il.

— C'est à mon père. Il l'utilise parfois pour espionner mon oncle.

— Mais peut-être en a-t-il besoin en ce moment ?

— Sûrement pas. Il est dans le coup lui aussi.

Un groupe d'humains déguenillés, au crâne rasé et portant des fringues déchirées se dépêcha d'entrer dans l'établissement de jeu, alors que Nog s'en éloignait, indifférent aux passants. L'instrument se mit à biper. Il l'éteignit et le replaça dans sa poche.

— Nous sommes arrivés, dit-il.

— Où ça ?

Jake examina les alentours. Ils se trouvaient près d'un mur longeant la Promenade. Il ne remarquait rien de spécial.

— Est-ce une blague, Nog ? Parce que si c'en est une, je ne la trouve pas drôle. Madame O'Brien est passée tout à l'heure, nous allons être en retard au cours...

— Quel raseur tu peux être parfois, se plaignit le Férengi en fronçant les sourcils. Mais peu importe. Nous y sommes.

Il posa la main sur une porte marquée d'un symbole cardassien indiquant une réserve de vivres. Quark y avait apposé un autocollant sur lequel son nom était inscrit dans quatre langues.

— Les senseurs envoient les signaux jusqu'ici ?

Nog hocha la tête et sourit, visiblement content d'avoir réussi à éveiller de nouveau la curiosité de Jake.

— Il y a là-dedans des écrans qui enregistrent tout ce qui se passe aux tables dans l'arrière-salle de mon oncle. Les moniteurs peuvent montrer toutes les cartes. Les joueurs engagés par mon oncle sont sûrement informés du jeu des autres grâce à un dispositif parallèle.

— Ce n'est pas honnête.

— Je le sais. Génial, pas vrai ? Il vont amasser beaucoup d'argent.

Jake soupira. Technologie de mes deux, pensa-t-il. Et tous ces senseurs férengis qui émettaient leurs signaux à la ronde... Pas étonnant si tout allait de travers.

— Avant d'aller au cours, passons prévenir mon père sur Ops. Ça l'intéressera sûrement de savoir...

— Ce qui se passe au Quark's ? Voyons, il ne veut certainement pas être dérangé. Il a assez de soucis comme ça. D'ailleurs, je préfère n'en parler à personne.

Nog se tut quand deux membres de l'équipage, en grande conversation, passèrent tout près d'eux.

Jake les regarda avec attention et ne reconnut ni l'un ni l'autre des enseignes, qui portaient tous deux les couleurs de l'équipe d'ingénierie. Tout le monde semblait gagné par l'inquiétude, ce matin.

— Il faut le dire à quelqu'un, insista Jake quand les deux hommes se furent éloignés.

— Pas question, refusa Nog à voix basse, et il se rapprocha de son ami pour mieux se faire entendre. Mon oncle dit toujours que l'information, c'est le pouvoir. Maintenant que nous possédons des renseignements sur mon oncle, il ne nous reste plus qu'à trouver comment les utiliser, conclut-il avec un gloussement. Viens, allons faire un tour à l'école.

Jake regarda la porte, sous laquelle filtrait un rai de lumière ténu. Il détestait Nog quand il était comme ça. Peut-être le père de Jake avait-il raison et qu'il existait des différences fondamentales entre les Férengis et les humains.

Et peut-être aussi qu'il n'y en avait pas.

CHAPITRE 13

Le vacarme était déjà assourdissant lorsque Odo fit son entrée dans le Quark's. Le brouhaha des conversations montait de l'arrière-salle et, dans le bar, on se serait cru dans un four. Les contrôles environnementaux ne fonctionnaient pas davantage ici que dans son bureau.

Le chef de sécurité poussa un soupir. Il n'avait aucune envie de se trouver là. Le jeu que Quark et l'ordinateur lui avaient appris la nuit précédente était inepte et ennuyeux, et Odo ne voyait pas quel plaisir on pouvait retirer à miser d'importantes sommes d'argent sur des événements qui avaient de fortes probabilités de ne jamais se produire.

Rom, assis à la table la plus rapprochée de la porte, conversait avec Pera, le Bajoran. Le cas de ce dernier ne manquait pas d'intérêt, c'est ce que Odo avait pu découvrir en étudiant son dossier avec attention. Pera avait exercé une fonction légitime au sein du gouvernement provisoire bajoran durant quelques mois, avant de l'abandonner en claquant la porte, prétendant que ce gouvernement ne défendait pas les intérêts des Bajorans. Avant cet incident, Pera avait entretenu des rapports intermittents avec les Combattants de la liberté bajorans. On perdait souvent sa trace durant de longs mois, puis il réapparaissait, en général peu de temps après la mort spectaculaire d'un dirigeant cardassien. Les dossiers bajorans demeuraient vagues à son sujet, tandis que ceux des Cardassiens prétendaient que Pera avait prêté ses services à tous les regroupements terroristes de Bajor. L'un de ces groupes s'était lié avec les Romulans, et Naralak était la dernière à leur avoir servi d'intermédiaire.

L'assassinat de la Romulanne expliquait peut-être la présence de Pera au tournoi. Il était rare que des terroristes aient le temps de participer à un tournoi de poker.

— Vous voulez vos chips ou bien vous préférez rester planté là à nous regarder ? demanda Rom.

Odo ramassa ses jetons tout en surveillant du coin de l'œil ceux qui entraient dans la salle : un Vulcain qu'il n'avait encore jamais vu ; Cynthia Jones, en train de flirter avec Bashir ; les Klingons Xator et Grouk, qui demeuraient pour lui les suspects numéro un ; Garak ; Lursa et B'Etor, ainsi que d'autres Klingons. Le mystérieux L'sthwan pouvait être n'importe lequel d'entre eux.

— Vous ne les comptez pas ? s'étonna Rom.

— Pour quoi faire ? répondit Odo en secouant la tête. Ce n'est pas mon argent.

En se retournant, il se retrouva nez à nez avec un grand humain squelettique, surgi tout droit du passé. Berlinghoff Rasmussen avait été inculpé à de nombreuses reprises et avait passé beaucoup de temps dans les colonies pénitentiaires de la Fédération, mais jamais il ne s'était trouvé mêlé à des affaires de meurtres.

— Pas votre argent ? répéta-t-il, étonné.

— C'est Quark qui m'a invité à prendre part à la partie, expliqua Odo. Il voulait s'assurer que vos vaines existences se prolongent assez longtemps pour qu'il puisse faire des profits.

— Je n'aurais pas cru, déclara Rasmussen en fronçant les sourcils, que les profits de Quark pussent présenter un quelconque intérêt pour vous.

— Il n'en présentent aucun, en effet, contrairement à la surveillance que je dois effectuer sur le ramassis de voleurs et de meurtriers rassemblés dans cette salle. Il y a beaucoup d'argent ici, monsieur Rasmussen. Soyez assuré que je surveillerai vos mains de très près.

— Je garde toujours mes cartes collées contre ma poitrine.

— Je voulais dire vos vraies mains. Ce que vous faites de vos cartes ne m'intéresse pas le moins du monde, précisa Odo, qui salua Rasmussen avant d'entrer dans la salle.

Suivant les recommandations de Quark, Odo chercha son nom au tableau. Son fauteuil se trouvait près de la porte. Bien joué, Quark. La meilleure place pour observer ce qui se passait dans la salle.

Les autres joueurs s'affairaient à trouver la place qui leur avait été attribuée et le fauteuil qui y correspondait. Le temps était venu de se mettre au boulot. Odo était déjà entré et sorti de la salle plusieurs fois, dans l'espoir de découvrir un autre moyen de traquer le meurtrier, mais sans succès. Peut-être valait-il mieux, après tout, que ce jeu soit facile. Il aurait ainsi plus de temps pour s'occuper des joueurs.

Il s'immobilisa en entendant un rire familier éclater au fond de la salle. Le docteur Bashir était en grande conversation avec un Vulcain, et tous deux avaient une pile de jetons devant eux. Engoncé dans cet habit à queue, Bashir ne semblait pas à sa place ici. Ses pupilles étaient dilatées et ses joues étaient rouges, comme s'il venait de passer plusieurs heures seul dans une holosuite. Son regard brillant ne laissait aucun doute : pour rien au monde Bashir n'aurait voulu manquer cet événement.

Odo traversa la salle d'un pas vif, sans faire attention à ceux qu'il bousculait. Le Irits au nom imprononçable faillit échapper ses jetons, mais Odo ne s'arrêta même pas pour s'excuser.

Il tapa sur l'épaule de Bashir.

— Docteur, puis-je vous dire un mot ?

— Odo ! s'exclama Bashir avec gaieté. (Vraiment, ce garçon était d'une naïveté sans bornes. Quark ne pouvait que s'être intéressé aux frais d'entrée.) Vous êtes ici pour jouer ?

— Oui, mais j'aimerais d'abord m'entretenir avec vous.

— Le moment est plutôt mal choisi, murmura Bashir.

— C'est au sujet du meurtre, insista Odo à voix basse. Allons sur la Promenade.

— Je ne peux pas laisser mes jetons sans surveillance, déclara le médecin. (Il posa sa main sur le bras du Vulcain.) Soit dit sans vouloir vous offenser.

— Je ne m'en formalise pas, assura le Vulcain. Personne ici n'est vraiment recommandable.

— En effet, l'approuva Bashir.

Odo roula des yeux, heureux de ne pas se trouver au nombre des occupants de cette table, qui comptait les plus ennuyeux beaux parleurs de toute la bande.

— S'il vous plaît, docteur, le pria-t-il.

Bashir empila ses jetons et se leva. Il conduisit Odo un peu à l'écart, sans quitter ses chips des yeux.

— Je n'ai rien de nouveau à vous apprendre, l'informa Bashir à voix basse. Les analyses du labo n'ont rien révélé de particulier. Les tissus correspondent à ceux qui ont été recueillis dans la salle, et à ceux du gilet de Quark, évidemment. Le scan ADN n'a décelé aucun indice supplémentaire. La seule certitude que nous ayons est que la victime a bien été poignardée et que sa mort a été très rapide. Le meurtrier devait posséder une certaine connaissance de l'anatomie romulanne.

— Un Klingon ?

— Ça m'étonnerait, dit Bashir. Les Klingons ont le sens de l'honneur. Il n'est pas dans leurs habitudes de frapper quelqu'un dans l'obscurité.

— Un autre Romulan, alors ?

— C'est possible. Mais pourquoi ici ? Pourquoi maintenant ? Et pourquoi se serait-il servi d'un couteau férengi ? J'ai soumis cet ustensile à quelques analyses avant de le remettre à vos hommes. Il était parfaitement propre, à part quelques fragments de larves de vers frites qui sont restés dans la blessure. Cela me porte à croire que le tueur a subtilisé le couteau sur une table dans le but de s'en servir plus tard. Le manche ne portait aucune empreinte.

— Oui, nous l'avions remarqué, dit Odo. Des fragments de larves de vers frites... Vous ne m'aviez pas dit ça.

— J'avais mentionné hier soir avoir découvert une substance que je n'arrivais pas à identifier. Mon rapport l'indique. Je suppose que vous n'avez pas eu le temps de le lire.

— Pas vraiment, en effet.

Odo avait passé beaucoup trop de temps en compagnie de Quark, à apprendre ce jeu idiot, et aussi à interroger les quelques personnes sur qui se portaient ses soupçons. Il avait également dû — et cela avait pris encore plus de temps — passer les lieux du crime au peigne fin, au moyen de tout son attirail de détection. Chose étrange, qu'il n'avait encore confiée à personne, il avait capté des signaux bizarres, comme si la salle avait été sous écoute. À cause des problèmes techniques de la station, il n'était pas certain de l'exactitude de ses relevés et projetait de les contre-vérifier plus tard.

Le Vulcain effleura les jetons de Bashir, qui fit un pas en avant ; il s'arrêta quand il s'aperçut que ses piles étaient toujours intactes.

— Est-ce tout, Odo ? Je dois reprendre ma place.

— Une dernière chose. J'aimerais vous demander d'ouvrir l'œil et de me prévenir si vous remarquez quoi que ce soit d'inhabituel. Je n'aime pas savoir qu'il y a un tueur en cavale sur ma station.

Bashir le gratifia de son plus beau sourire, ce qui fit reculer Odo d'un pas. Il ne s'attendait pas à une telle réponse.

— Connaissant les joueurs, insinua le médecin, je serais surpris qu'il n'y en ait qu'un.

CHAPITRE 14

C'était beaucoup trop loin. S'aidant de son bâton de commandement, Zek, le Grand Nagus, avançait aussi vite que ses jambes flageolantes le lui permettaient. Il était déjà hors d'haleine en arrivant au turbolift mais à présent, dans le couloir qui menait aux quartiers de résidence, il se sentait complètement épuisé. Il parviendrait néanmoins à destination, et il en reviendrait, foi de Férengi. Il était peut-être vieux, mais pas impotent. Krax ferait bien de s'en souvenir.

Ce dernier voulut prendre le bras du Nagus pour l'aider, mais Zek le repoussa. Son serviteur, Maihar'du, le suivait de près, afin de pouvoir lui prêter assistance ou le défendre au besoin.

— C'est beaucoup trop loin ! ronchonna le Nagus. Ils vont commencer la partie sans moi.

— Quark n'oserait pas débuter sans vous, tenta de le rassurer Krax.

Si le Nagus n'avait pas été aussi pressé, son fils aurait eu droit à une retentissante paire de claques.

— Quark fera ce qu'il pourra, coupa le Nagus. Il n'était déjà pas enchanté de devoir m'avancer la somme nécessaire pour participer au tournoi.

— Surtout que nous avons réussi à préserver la quasi totalité de notre latinum endoré, ricana Krax. Vous êtes génial, père.

— Tu devrais t'en être rendu compte depuis longtemps, fit remarquer le Nagus. Nos équipements fonctionneront-ils à cette distance ?

— Faites-moi confiance, père. Notre plan se déroule à la perfection.

— Te faire confiance ? gloussa le Nagus. Je ne suis pas encore sénile. Cesse ton babillage et fais-moi voir ces installations.

— Nous aurions dû venir tôt ce matin, père, alors que nous n'étions pas pressés.

Les mains du Nagus se serrèrent sur le bâton ; un autre commentaire de ce genre et il l'utiliserait pour lui chauffer les oreilles, ici même, dans le couloir.

— Je veux les voir en opération pendant que la salle est remplie. On ne peut pas laisser ce genre de choses au hasard, Krax.

— Vous avez raison, père.

Krax s'arrêta devant une porte semblable à toutes les autres de l'anneau de résidence et pressa la commande d'ouverture. Un paravent apparut, confectionné dans des draps noirs et imprimé de têtes férengis brodées de fils d'or, identiques à celle qui ornait le bâton de commandement du Nagus.

Celui-ci jeta un regard à Maihar'du, son serviteur humanoïde de grande taille, qui n'avait aucun mal à voir par-dessus le paravent.

— Beau travail, Krax : seuls les Férengis ne peuvent pas voir ce qui se passe là-dedans.

— J'apporterai les correctifs nécessaires, père, s'excusa le Férengi en levant un regard désespéré vers le domestique.

— Tu as intérêt, pesta le Nagus.

Il écarta le rideau. La salle de séjour des quartiers d'habitation, toute en longueur, se terminait par une large baie vitrée en forme d'amande s'ouvrant sur les étoiles. Elle n'était pas aussi spacieuse que celle des quartiers qu'il avait empruntés à Quark pour cette visite — pas ceux de Rom, cette fois — mais ils pouvaient loger confortablement dix Férengis.

Chacun d'eux occupait un petit bureau aménagé pour l'occasion et fixait un moniteur de taille réduite placé devant lui, un écouteur agrafé au lobe de l'oreille droite. Un minuscule microphone, posé derrière un écran de confidentialité, couvrait leurs bouches. Cette technologie dépassée, qui permettait d'éliminer les nombreux bruits de voix dans la pièce, convenait parfaitement à ce type d'opération. Seule la voix qu'il devait entendre parvenait au destinataire.

Le Nagus s'approcha de la première table. L'écran n'était pas gros — Krax avait dû emprunter du matériel de la Fédération — mais il fonctionnait bien. La première table de l'arrière-salle du Quark's y apparaissait très nettement, avec son tapis de feutre vert et les chips empilés devant chaque fauteuil, ainsi que les bras et les mains de tous les joueurs. Ceux d'entre eux qui possédaient des doigts s'en servaient pour tripoter les jetons ou tapoter nerveusement le bord de la table. La donneuse avait placé devant elle un paquet de cartes encore scellé. On discernait avec précision le moindre coup de plume et les reliefs de chaque ornement formant le dessin au dos des cartes. Même si les joueurs les retournaient ou les tenaient tout près de leur poitrine, les senseurs placés au-dessus de la table seraient en mesure de les distinguer.

— Excellent, dit le Nagus. Je ne suis pas fâché que Quark ait payé notre place au jeu, car cette installation a dû coûter une petite fortune.

— Oh non, père. Tous ceux qui sont ici sont vos loyaux serviteurs et ne souhaitent qu'une modeste rétribution pour prix de leurs services. Quant aux moniteurs, un officier de la Fédération me les a gracieusement offerts, sur mon aimable demande, et le commandant nous a prêté ces quartiers par politesse, en raison de la destruction de notre vaisseau.

Un sourire se dessina sur le visage du Nagus. Krax finissait par apprendre à se débrouiller, malgré tout. Toute cette installation n'avait pas coûté cher, un bon point pour lui.

Il se dirigea vers le deuxième moniteur, qui montrait lui aussi une table couverte de chips. La partie n'avait pas encore commencé. Krax ne s'était pas trompé : Quark attendait qu'il arrive.

— Tu es sûr que Quark n'est au courant de rien ? demanda le Nagus.

— Il n'était nulle part en vue quand nous avons réussi à retracer ses signaux. Nous avons découvert ses senseurs tard dans la nuit d'hier. Il sont parfaitement situés et nous pouvons réacheminer toutes les informations qu'ils transmettent sans aucune difficulté, s'enorgueillit Krax, en se redressant de toute sa hauteur, comme si l'idée d'intercepter les signaux avait été la sienne.

— Heureusement que je savais qu'il allait tricher, fit observer le Nagus d'un ton qui avait pour but de remettre son fils à sa place.

— Oh oui, père. Vous avez raison. Je n'y aurais jamais pensé moi-même.

Le Nagus écarta Krax, qui dut se retenir au dossier d'un fauteuil pour ne pas emboutir le troisième moniteur.

— Exactement. Tu es encore bien trop stupide pour faire preuve d'imagination. Bon. Nos joueurs sont-ils tous à leur place ?

Krax se frotta l'épaule, visiblement endolorie. Parfait. Il arriverait bien un jour à trouver le juste milieu entre la servilité et l'imbécillité. Krax désigna quatre écrans différents.

— Nous en avons un à chacune de ces tables. Chacun est muni d'un récepteur, glissé à l'intérieur de son oreille, qui nous permet de communiquer avec lui.

— Tu t'es bien assuré que les récepteurs soient bien enfoncés dans l'oreille, n'est-ce pas ? demanda le Nagus.

— Oui, père, répondit Krax avec un éloquent signe de tête affirmatif. Tout le monde se souvient que Gral s'est fait attrapé sur Risa parce que l'U-main à côté de lui a entendu la transmission par son écouteur.

— Parfait.

Krax avait eu sa leçon. Il était responsable d'avoir si maladroitement placé les appareils d'écoute, lors de cette horrible partie qui avait eu lieu sur Risa. Le Nagus voulait rappeler à son fils qu'il n'avait pas oublié, et que celui-ci ne pouvait plus se permettre la moindre erreur. Depuis que Krax avait échoué dans sa tentative de détrôner le Nagus, au moment de leur dernière visite sur Deep Space Neuf, il était tombé en disgrâce auprès de son père.

Le Nagus mit la main sur l'épaule du Férengi le plus proche de lui. Ce n'était pas à Krax qu'il voulait poser sa prochaine question :

— Tu surveilles cet écran depuis ce matin. Dis-moi : est-ce que le système fonctionne bien ?

Krax se glissa entre le Nagus et l'autre Férengi avant que ce dernier ait pu répondre.

— En réalité, père, nous avons eu quelques accrochages.

— Quelques accrochages ? répéta le Nagus en écho, haussant le ton.

Il n'aurait pas dû laisser à son fils la responsabilité de cette installation improvisée. Avant même la destruction du vaisseau, ce voyage n'avait été qu'une suite d'infortunes, mais s'ils avaient réussi à conserver les équipements qui se trouvaient à bord, le Nagus aurait pu garder le contrôle des opérations.

— Rien de grave, se défendit Krax en s'inclinant devant son père, un geste que le Nagus avait toujours interprété comme une dérobade pour éviter de se faire triturer les oreilles. Je veux dire, rien de plus grave que les autres problèmes de la station.

— Les moniteurs s'éteignent de temps en temps, expliqua l'autre Férengi, qui ne voulait pas rater l'occasion d'adresser la parole au Grand Nagus.

— Ils s'éteignent ? Tu veux dire, comme les lumières ?

— Oui, père, avoua Krax, déglutissant avec peine. Mais ce n'est pas très grave, rassurez-vous. La transmission est parfois interrompue, mais seulement quand le reste de la station éprouve les mêmes problèmes.

— Triple idiot ! Ça pourrait arriver au moment le plus important de la partie ! Je suis entouré d'une bande de crétins qui n'apprennent rien de leurs erreurs !

— Mais Quark aura le même problème, fit remarquer Krax en se penchant pour esquiver les coups.

— Je me fiche de Quark ! tonna le Nagus, qui en avait plus qu'assez. (Il prit le bras de Maihar'du et s'appuya sur son bâton.) Fais en sorte que les systèmes fonctionnent *en tout temps.* Tu m'as bien compris, Krax ?

— Parfaitement, père, répondit son fils, qui inclina la tête si promptement qu'on aurait dit qu'elle allait se détacher de son cou.

— Si je perds une seule barre de latinum endoré, une seule, à cause de ta stupidité, je te chasse. Est-ce bien clair ?

— Oui, père. Ça marchera, je vous assure.

Les lumières se mirent alors à clignoter et tous les écrans s'éteignirent d'un seul coup. Les doigts des Férengis voltigèrent sur les claviers, puis leurs poings s'abattirent sur le dessus des écrans. Un à un, les moniteurs se rallumèrent.

— Tout ira bien, hein, Krax ? insista le Nagus, secouant la tête.

Heureusement qu'il jouait l'argent de Quark. Ainsi, il encaisserait de toute manière un certain profit — le simple plaisir de jouer —, même si le système de Krax faisait défaut.

— Et n'oubliez pas, menaça-t-il en agitant son bâton en direction de Krax et des autres Férengis. Aucun d'entre vous ne bénéficiera plus de mes largesses si ce plan échoue. Réparez immédiatement ces moniteurs. Maihar'du ?

Le serviteur fit la révérence.

— Ramène-moi à la salle de jeu aussi vite que possible. Si Quark commence sans moi, je me verrai dans l'obligation de lui imposer une amende de quelques barres de latinum.

Le Grand Nagus garda le silence, puis sourit :

— À bien y penser, prenons notre temps. Cet argent sera le bienvenu.

CHAPITRE 15

Les chips luisaient sous la clarté qui baignait les tables, toutes remplies, et le bavardage des joueurs créait un formidable vacarme. Derrière leurs fauteuils, les donneurs attendaient le signal du patron, les paquets de cartes soigneusement scellés posés devant eux.

Quark surveillait la porte. Où était passé le Grand Nagus ? Zek n'hésiterait pas à le trucider s'il commençait la partie sans lui.

Une heure de retard déjà ; les joueurs commençaient à s'impatienter. Deux d'entre eux étaient venus lui demander s'il y avait un problème. Quark avait dû les rassurer et leur expliquer que le groupe n'attendait plus que l'arrivée d'un dernier joueur. Un joueur qui se trouvait dans la salle quand la liste des places avait été affichée mais qui avait maintenant disparu.

Le Nagus manigançait quelque chose.

Il n'était pas devenu Grand Nagus pour rien.

Quark s'essuya le front du revers de la manche. Les systèmes environnementaux n'avaient toujours pas été réparés et la salle ressemblait à une véritable chaudière. Un mélange bizarre d'odeurs extraterrestres et d'humains pas lavés lui assaillait les narines. La puanteur allait empirer tout au long de la partie et il était certain que pas un seul joueur ne quitterait sa place avant d'avoir perdu son dernier jeton. Il se pouvait très bien que les deux joueurs qui termineraient la partie restent à leur table pendant plusieurs jours.

Quand les lumières s'éteignirent, un silence de plomb tomba sur la salle. Quatre-vingt personnes retinrent leur souffle en même temps. Quark se mit à compter les secondes, priant pour que les générateurs auxiliaires se déclenchent au plus vite. Ce ne fut pas nécessaire : la lumière revint quand il arriva à dix.

Les conversations reprirent, sur un ton aussi animé, comme si les voix des participants avaient été branchées sur le réseau d'alimentation.

La scène fit sourire Quark : s'il avait pu aussi facilement couper court aux conversations du bar, simplement en appuyant sur un bouton...

Quelqu'un tira sur sa manche et Quark aperçut Rom recroquevillé à ses côtés. Il ferma les yeux. Encore un problème.

Rom le sollicita de nouveau. Quark rouvrit les paupières et saisit la main de son frère.

— Fais attention, dit-il. Tu vas abîmer mon costume.

— Je suis désolé, s'excusa Rom, avec un empressement qui laissait présager des ennuis. Il faut que je te dise quelque chose.

— Eh bien, vas-y, parle.

— Pas ici, dit Rom, en inspectant les alentours avec nervosité.

Quark le foudroya du regard. Pas question de quitter la salle. Il avait de gros investissements à protéger. Rom s'approcha et lui murmura à l'oreille :

— On ne reçoit plus les signaux.

— On ne reçoit plus quoi ? cria Quark.

Des joueurs assis à deux tables toute proches levèrent la tête. En même temps qu'il sentait la panique s'emparer de lui, Quark les salua de son plus beau sourire.

— Nous parlions du joueur manquant, le Nagus, essaya-t-il d'expliquer pour se tirer d'embarras. Oh, je comprends... Il est dans une holosuite... Il faut immédiatement aller le chercher. Rom, accompagne-moi.

Quark empoigna son frère et le tira hors de l'arrière-salle. Le bar était désert, à l'exception de la croupière du Dabo, qui semblait littéralement mourir d'ennui. Quark claqua les doigts dans sa direction :

— Garde ces portes, lui ordonna-t-il. Et que personne n'en sorte.

La fille acquiesça et alla prendre son poste, tandis que Quark poussait Rom jusque derrière le bar.

— Je n'ai jamais parlé d'holosuite ou du Nagus, protesta Rom.

— Je le sais bien ! fulmina Quark entre les dents. Que se passe-t-il avec l'équipement ?

Rom lança autour de lui des regards fébriles, puis s'écarta de Quark en reculant d'un pas.

— Les moniteurs flanchent souvent, dit-il. Et tout le système vient de s'arrêter. J'ai vérifié tous les circuits moi-même, sans rien trouver.

Un enseigne de Starfleet, jolie jeune femme aux yeux, à la peau et aux cheveux d'un brun chocolat, jeta un œil curieux par la porte du bar, apparemment surprise de n'y trouver personne. Quark essaya de lui adresser un sourire contraint — cela faisait des semaines qu'il essayait d'attirer son attention —, mais il n'y parvint pas, pas plus qu'il ne put l'inviter à entrer. Tout son corps était saisi d'un tremblement de fureur.

L'enseigne lui rendit son sourire et bifurqua vers la Promenade. Quark se retourna brusquement pour faire face à Rom.

— Il y a deux jours, les moniteurs fonctionnaient encore très bien, tempêta-t-il. Qu'est-ce que tu leur as fait ?

— Rien du tout, jura Rom d'une voix alarmée. Je les ai simplement remis en marche chaque fois qu'ils se sont arrêtés.

— Depuis quand cela dure-t-il ? demanda Quark.

— Depuis hier soir, répondit Rom.

— Et c'est maintenant que tu viens me prévenir ? Une heure après que la partie aurait dû commencer ?

Rom fit un autre pas en arrière :

— Ça n'avait pas l'air compliqué à réparer, bafouilla-t-il.

— Pas compliqué à réparer ! Pas compliqué à réparer ! hurla Quark, qui empoigna les larges conques d'oreilles de Rom et les serra si fort que son frère en tomba à genoux. Quand on répare un système, c'est pour qu'il *marche*, l'agonit-il. Tout le temps. Sans défaillance. Ensuite, on ne le répare plus, on l'améliore.

Lorsque Quark le lâcha, Rom tomba sur le dos, les mains sur ses oreilles rouges et enflées.

— En ce moment, ils fonctionnent, dit-il.

— « En ce moment », ça ne suffit pas. Ils doivent rester *toujours* opérationnels, sans quoi je te tiendrai personnellement responsable de chaque main perdue par mes joueurs.

— Tu n'as pas le droit de faire ça ! Ils ne peuvent pas savoir tout ce qui se passe.

— Au contraire, ils sont supposés être au courant de tout, répliqua Quark, l'air glacial. Y a-t-il autre chose qui ne va pas ? Il faut pourtant plus de temps que ça pour jouer une donne. Un joueur peut s'accommoder d'une ou deux sautes légères dans la transmission.

— C'est vrai, dit Rom en se relevant, les mains sur les oreilles. C'est vrai et je me trompais.

Quark saisit son frère par l'avant-bras et le tira vers lui. Rom protégea son autre oreille de sa main libre.

— Tu me caches quelque chose, soupçonna Quark.

— Rien d'important, assura Rom, qui se remettait à gémir de la même manière que les humains s'apitoyant sur leur sort et que Quark ne pouvait supporter.

— Cela pourrait avoir une grande importance pour moi, insinua Quark.

— Ça m'étonnerait.

— Moi pas, gronda Quark, et il attrapa le bout de l'oreille de Rom, qui laissa échapper un couinement.

— Ce n'est rien. Vraiment pas grand-chose, prétendit Rom en essayant de se dégager. La liaison entre les joueurs et nos hommes est quelquefois coupée elle aussi, c'est tout.

Quark lui lâcha l'oreille, trop abasourdi pour continuer à le torturer. D'abord le Nagus. Ensuite le meurtre. Et maintenant ceci.

— Existe-t-il un lien entre les deux problèmes ? s'enquit-il.

Rom roula ses conques entre le pouce et l'index.

— Je ne sais pas, répondit-il. Ce sont deux systèmes indépendants, mais quand l'un s'arrête, l'autre reste en fonction. Je n'y comprends rien.

— Eh bien moi, si, déclara Quark. Quelqu'un est en train de me saboter.

— Qui pourrait faire ça ?

— Je n'en sais rien, grinça Quark. Mais je vais le découvrir.

— Il faudrait que tu fasses vite...

— Non ! rugit Quark, reportant son attention sur son frère. C'est *toi* qui vas faire vite, et réparer ces systèmes sans tarder.

Rom acquiesça avec empressement et s'enfonça la tête dans les épaules pour protéger les lobes de ses oreilles. Les unités d'éclairage recommencèrent à clignoter, les deux Férengis levèrent les yeux.

— Peut-être que personne n'essaie de te saboter, supposa Rom. Peut-être que ton équipement est défectueux.

— Ce n'est pas impossible, admit Quark, alors que les lumières vacillaient toujours et qu'une nouvelle secousse, dans un sourd grondement, ébranlait la station. Peu importe la cause du problème pour l'instant : je vais perdre beaucoup d'argent si nous n'arrivons à le régler immédiatement.

Rom se précipita de l'autre côté du bar :

— Je suis sûr que tes joueurs se débrouilleront très bien sans nous.

— Ha ! ? Ces deux-là se feraient aplatir même par des enfants, s'emporta Quark, qui abattit son poing sur le bar. Je paie leurs frais d'entrée, à ce Nagus et à Odo... Quatre cents barres de latinum, que je pourrais perdre si je ne fais pas attention. Et je ne fais pas attention. Je t'ai confié mes équipements.

— Peut-être que tu devrais jeter un coup d'œil toi-même pour voir si tu ne trouverais pas ce qui cloche, suggéra Rom.

— Et peut-être que tu devrais, toi, mettre la main au collet du Grand Nagus pour lui donner l'ordre de regagner la salle ! Imbécile. Je dois rester ici. Dépêche-toi. Fais ce que tu peux. Arrange-toi pour que le dispositif fonctionne de temps en temps...

Rom sortit du bar comme une flèche, songeant probablement surtout à se protéger les conques. Quark croisa les bras et appuya les coudes sur la surface unie du bar. Un sabotage. Ce ne pouvait être qu'un sabotage. Jamais auparavant il n'avait été aussi malchanceux. Le meurtre. Le Nagus. Odo. Et ça, à présent. Ses beaux profits qui se volatilisaient comme s'ils n'avaient jamais existé...

Quark sursauta quand Odo s'approcha, de l'autre côté du bar :

— J'avais demandé à la fille du Dabo de ne laisser sortir personne, s'étonna-t-il.

— Avouez qu'elle était mal placée pour me donner des ordres, répondit Odo.

— En effet, grommela le Férengi.

Odo l'examina un moment, comme s'il essayait d'évaluer la situation.

— Vos joueurs veulent que la partie commencent. Ils s'impatientent.

— J'attends le Nagus, expliqua Quark.

— Ah, je vois... Les joies de la politique.

— Ouais. La joie... Je ne me souviens même plus à quoi ça ressemble.

— Quelque chose ne va pas ? Vous n'avez pas l'air dans votre assiette. C'est pourtant le temps d'avoir du plaisir.

Quark se tourna lentement vers lui, l'air soudain infiniment las :

— Du plaisir ? Faire de l'argent est un plaisir. Pas ça.

CHAPITRE 16

O'Brien venait de passer la nuit la plus longue — et aussi la plus frustrante — de toute sa carrière. Il avait l'habitude de pouvoir compter, dans les situations d'urgence, sur le concours d'un assistant — Geordi La Forge, en l'occurrence, sur l'*Entreprise* — dont la tâche consistait à répondre aux demandes ininterrompues qui parvenaient au central ; quelqu'un qui, pour l'épauler, assumait une part de la pression continue. O'Brien aurait fait n'importe quoi pour avoir Geordi à ses côtés présentement ! Geordi aurait découvert sans peine la cause de tous ces problèmes. Il l'aurait trouvée depuis longtemps.

Mais O'Brien n'était pas Geordi, et ce dernier ne connaissait pas la technologie cardassienne de toute façon. L'ingénieur en chef s'étonnait souvent que les Cardassiens aient pu inventer la roue, sans parler de leur soi-disant technologie de pointe. Il aurait donné n'importe quoi, en ce moment, pour un de ces noyaux de distorsion de nouvelle génération conçus par la Fédération, au lieu de ce réacteur fabriqué par les Cardassiens. Toute la nuit, d'importantes variations avaient affecté le flux de puissance et O'Brien craignait, si la situation perdurait, que le réacteur ne se fissure — ou s'arrête tout simplement.

L'ingénieur assécha ses mains moites sur les flancs de son uniforme. Une heure auparavant, il avait réussi à remettre en marche les systèmes environnementaux de Ops, ainsi que le turbolift. Il s'était ensuite rendu à ses quartiers avaler une bouchée et se rafraîchir, sous une douche dont il avait grand besoin. Mais, alors qu'il en sortait, encore ruisselant, les lumières s'étaient éteintes pendant près d'une minute et la porte séparant la salle de bain de la chambre était restée bloquée, à moitié ouverte, heureusement. Après s'être glissé dans l'ouverture, il avait revêtu son uniforme et regagné Ops, pour découvrir que le turbolift avait des ratés et que le synthétiseur étaient à plat. Ça semblait être au tour des contrôles atmosphériques de faire défaut.

Tout ça sans compter les trois heures qu'il avait passées à consolider les systèmes du réacteur, réussissant à ramener leur niveau de rendement à quatre-vingt-quinze pour cent, quand une nouvelle onde de choc les avait atteints. Durant la secousse, O'Brien avait tout fait pour maintenir l'intégrité du réacteur mais, une fois le calme revenu, tous ses efforts avaient été anéantis : le réacteur avait perdu quinze pour cent de sa capacité totale.

Cette perte n'était pas dramatique. C'était les fluctuations qui constituaient un danger. Aux pires moments de l'onde de choc, les niveaux d'énergie avaient grimpé à cent vingt pour cent au-dessus de la normale. Un peu plus et le noyau explosait. O'Brien avait réuni les meilleurs membres de son équipe dans la zone du réacteur, de manière à pouvoir les contacter sans délai en cas d'urgence. Sur Ops, il se débrouillait comme il le pouvait.

Ce n'était pas suffisant.

Peut-être n'était-ce qu'un cauchemar, dans lequel il retombait à répétition, et qu'avec un effort suffisant il parviendrait à se réveiller, dans un monde où tout serait rentré dans l'ordre. Peut-être que s'il le souhaitait avec assez de force, il se retrouverait sur l'*Entreprise*, et tout ça deviendrait le problème de quelqu'un d'autre.

O'Brien se glissa sous la console d'ingénierie et ouvrit le panneau qui permettait d'accéder au réseau électronique. Le dernier coup de roulis avait complètement désactivé sa console. Il avait rapidement trouvé et corrigé le problème — pas grand-chose, en fait —, puis il s'était relevé.

— Chef, l'interpella Kira. Je reçois des rapports indiquant que tous les turbolifts de l'anneau de résidence sont hors service.

— Ils n'ont qu'à utiliser les escaliers, répondit l'ingénieur du tac au tac.

— Vous n'êtes pas drôle, chef. Au moins un des ascenseurs transporte des passagers.

Son poste d'ingénierie étant redevenu opérationnel, il commanda les informations au clavier.

— J'envoie immédiatement quelqu'un, dit-il.

Le personnel affecté aux autres urgences serait réduit, mais tant pis. Il arrivait souvent à ceux qui restaient coincés dans les lifts d'empirer la situation en tentant d'en sortir par leurs propres moyens.

— Il commence à faire chaud ici, observa Sisko, qui passait derrière lui.

— J'avais remarqué, commandant.

— Ce n'est pas normal. Cette salle de commandes ressemble déjà à la planète Plétanion au cœur de l'été.

— Compris, commandant, répondit O'Brien, ignorant pour l'instant l'ordre implicite pour concentrer plutôt ses efforts sur les turbolifts. (Ops devrait attendre avant de retrouver une température agréable.)

— Une nouvelle perturbation..., lança Dax en même temps que l'éclairage de la salle rendait l'âme.

La station tangua aussi dangereusement que la première fois. O'Brien dut se retenir à sa console pour ne pas tomber. Ces soubresauts n'avaient rien de naturel ; les stations spatiales n'avaient pas l'habitude de rencontrer des zones de turbulence.

Les voyants de son tableau restaient allumés malgré l'obscurité qui les enveloppait. Pour quelle raison, il n'en avait pas la moindre idée. Au-dessus de la lueur de la console scientifique, O'Brien pouvait voir le jeune visage aux traits paisibles de Dax, penché sur les relevés. Kira et Sisko étaient éclairés par le pupitre des opérations. Tous profitaient de la faible clarté pour essayer de découvrir de nouvelles informations. O'Brien délaissa les turbolifts pour surveiller le réacteur, traversé par un nouveau flux de puissance. Un voyant d'avertissement rouge indiquait un danger de rupture du champ de force causé par les niveaux d'énergie trop élevés.

O'Brien frappa son commbadge.

— Teppo, ordonna-t-il à son meilleur assistant, abaissez les niveaux de puissance dans le réacteur.

— Je fais de mon mieux, chef ! répondit la voix de Teppo à travers les rugissements des machines. La situation se dégrade à chaque secousse.

O'Brien désactiva tous les systèmes secondaires, pendant que la station continuait d'être ballottée en tous sens. Il s'accrocha au tableau d'ingénierie et commanda un diagnostic à l'extérieur de la station, sans résultats ; il ne découvrit aucune cause identifiable.

— Teppo ! cria-t-il. Les niveaux sont trop hauts !

Peut-être aurait-il été préférable qu'il reste près du réacteur. Il aurait peut-être réussi à faire baisser plus rapidement les niveaux de puissance. Mais alors, il n'aurait plus été à son poste pour répondre à toutes les autres urgences.

— Je sais, chef... , commença Teppo, mais sa réponse se perdit dans le vacarme des machines.

La station s'immobilisa et les unités d'éclairage du plafond se rallumèrent. O'Brien put entendre derrière lui les craquements et les sifflements des câbles qui se distendaient. Une odeur carbonisée de pièces d'équipement calcinées lui donna un haut-le-cœur.

Mais la température avait baissé et les conduits soufflaient de l'air frais.

Le voyant d'urgence s'était éteint. Le réacteur fonctionnait maintenant à soixante-quinze pour cent de sa capacité.

Le commbadge de O'Brien bipa et il entendit aussitôt la voix de Teppo :

— La saute d'énergie vient de cesser, chef. Nous avons perdu vingt-cinq pour cent de la puissance.

— Voyez si vous ne trouvez pas quelque chose, dit O'Brien. Et nous n'attendrons pas la prochaine onde de choc. Nous allons dès maintenant réacheminer le contrôle du réacteur vers Ops. S'il le faut, nous travaillerons comme une seule unité, enseigne.

— Bien, chef.

Sourcils froncés, Sisko fixait O'Brien du regard :

— Quelle est la gravité de la situation, chef ?

— C'est durant le passage de ces maudites ondes que c'est le pire. Si je savais quand elles vont frapper, je resterais près du réacteur.

— Le réacheminement me semble être une bonne solution. Cela vous permet de maintenir les opérations sur Ops.

O'Brien hocha la tête, mais il aurait préféré ne pas exécuter cette manœuvre. Si seulement ils avaient pu savoir d'où provenait cette turbulence.

Sisko semblait avoir eu la même idée.

— Vous n'avez toujours rien trouvé ? demanda-t-il à Dax.

— J'en suis désolée, Benjamin.

— Nous faisons une erreur quelque part, pensa tout haut Sisko, s'éloignant du pupitre des opérations. (Son uniforme habituellement immaculé était tout froissé et ses joues recouvertes d'un duvet noirâtre. Il était le seul membre de Ops à n'avoir pas pris le temps de faire un brin de toilette.) Il nous manque un élément.

— Ouais, fit O'Brien. La moitié de la puissance de la station.

Personne ne commenta sa plaisanterie, ce qui ne le surprit guère. Il réactiva les systèmes auxiliaires.

— Peut-être sommes-nous trop près du phénomène, suggéra Dax.

— Que voulez-vous dire ? demanda Kira sans aménité, mais c'était là le ton dont elle usait depuis le milieu de la nuit.

Si le major avait eu une épée de combat bajoranne sous la main, songea O'Brien, elle aurait démoli l'équipement de la station au complet, et cela depuis des heures. Et c'est avec joie que l'ingénieur lui aurait prêté son assistance.

Satanés Cardassiens. Pourquoi n'avaient-ils pas conçu une installation capable de supporter des conditions hors de l'ordinaire ? L'équipement de la Fédération tenait le coup, lui.

La plupart du temps, en tout cas.

— Je veux simplement dire, expliqua Dax, sur ce ton pondéré qui lui était habituel, que nous nous trouvons en plein centre du phénomène. Nous savons que la turbulence s'étend sur une vaste région, à cause des rapports que nous avons reçus de Bajor et des Cardassiens. Nous avons vu le vaisseau Férengi être désintégré. S'il s'agit d'un phénomène naturel semblable à une tempête d'ions, nous pouvons en mesurer l'ampleur d'après sa durée, en fonction bien sûr de sa vitesse de déplacement. Tout indique qu'il est gigantesque.

— Qu'avez-vous en tête, Dax ?

— Je pense que si nous pouvions envoyer un runabout assez loin pour le poster en observation, nous aurions une vue d'ensemble de la situation. Je soupçonne que nous ne captons présentement qu'une fraction des informations qui nous seraient nécessaires.

O'Brien releva la tête de sa console d'ingénierie. Sisko avait fermé les yeux et appuyait la paume de sa main sur son front.

— Si nous envoyons un runabout, dit-il, il risque d'être détruit, comme le vaisseau des Férengis.

— Je ne suggère pas d'envoyer un runabout, Benjamin. Je ne crois pas que ce soit la solution. Mais nous avons peut-être besoin d'un point de vue extérieur pour comprendre ce phénomène. Si nous pouvions contacter Starfleet... ?

— J'ai effectué plusieurs tentatives, dit Kira. Nos systèmes de communications subissent tellement d'intermittences qu'il m'est impossible de déterminer lesquels sont encore en opération. Peut-être que mes transmissions leurs sont parvenues, peut-être pas.

O'Brien sentit un souffle d'air glacé dans le dos. Il frissonna. À lui non plus la dernière perturbation n'avait rien appris de nouveau. Il se remit à s'échiner sur les turbolifts. Trois d'entre eux s'étaient remis en marche.

— Chef, l'avertit Sisko. Nous allons avoir besoin d'un coup de main aux communications.

— Pour l'instant, dit O'Brien, sans salut en guise de réponse à Kira, les communications de portée moyenne ne posent pas de problèmes. Envoyer un message subspatial de longue portée pourrait s'avérer plus compliqué, mais je crois que cela tient plus à la turbulence qu'à une défectuosité de nos systèmes.

— Je n'ai aucun moyen de savoir si les communications se rendent à destination, signala Kira.

— Utilisez un autre poste d'opérations, conseilla O'Brien. Je réparerai le vôtre dès que possible.

— Vous aviez raison, dit Kira, depuis une autre console. Nous avons toujours les signaux de moyenne portée. Et un nouveau problème.

— Major ? demanda Sisko.

— Un vaisseau de guerre cardassien de classe Galor se trouve juste au-dessous de nous, annonça Dax.

— Et nous recevons un appel d'un vaisseau bajoran, ajouta Kira.

— Je l'ai aussi à l'écran, dit Dax. Ils ont verrouillé un des runabouts de la Fédération.

— Major, ordonna Sisko. Ouvrez un canal pour le vaisseau bajoran.

— C'est déjà fait, commandant.

Les turbolifts étaient de nouveau en service. O'Brien restait attentif à ce qui se passait autour de lui, au cas où il aurait dû détourner sa concentration des problèmes internes de la station, tout en commençant à s'occuper des contrôles atmosphériques. Il grelottait, à présent.

— Contactez également le vaisseau cardassien, major, demanda Sisko. Chef, établissez une transmission simultanée des deux vaisseaux. Il faut qu'ils puissent communiquer entre eux. Est-ce possible ?

— Ce n'est pas demain la veille, marmonna O'Brien.

— Chef ?

— Je peux essayer, commandant, se reprit-il.

— Commandant, intervint Kira. Les Bajorans et les Cardassiens...

— Je connais les sentiments des vôtres pour les Cardassiens, major. Inutile de me les rappeler.

O'Brien espéra que le poste de communications ne flancherait pas. Tant bien que mal, il réussit à accroître le flux de puissance des systèmes de moyenne portée, puis ouvrit les deux fréquences.

— Voilà, commandant, dit-il. Mais je ne vous garantis pas qu'elles tiendront longtemps.

— Sur l'écran, major, ordonna Sisko, mais l'écran s'était déjà divisé en deux images distinctes avant qu'il ait terminé sa phrase.

D'un côté, O'Brien reconnut Gul Danar, le commander cardassien, et de l'autre le capitaine Litna, de la Défense Planétaire bajoranne. Vêtue de son uniforme et avec le décor de l'équipement du navire en arrière-plan, elle paraissait encore plus sévère que quelques heures plus tôt.

— Que signifie tout ceci ? claqua-t-elle.

— Essayez-vous de créer un conflit, commandant ? demanda le Cardassien.

— Vous courez tous deux de graves dangers, dit Sisko. Le dernier vaisseau à se trouver dans les parages a été disloqué par le phénomène dont vous vous plaignez l'un et l'autre. Je vous suggère fortement de regagner vos bases jusqu'à ce que le problème soit résolu.

— Vous parlez d'un *problème*, commandant ? Si les Bajorans empêchaient leurs terroristes de s'approcher de notre flotte...

— C'est vous qui avez attaqué notre planète, Gul Danar, l'accusa Litna.

— Personne n'attaque personne, répéta Sisko. Nous nous trouvons au centre d'un phénomène subspatial que nous ne comprenons pas. Retournez chez vous. Mettez vos scientifiques au travail. Nous devons résoudre ce problème, sans quoi nous serons tous détruits.

— Cessez de protéger les Bajorans, commandant, vociféra Gul Danar. C'était la dernière fois que nous tolérions leurs actes de terrorisme sans réagir. Nous sommes ici pour nous défendre. Si l'un de nos vaisseaux est attaqué de nouveau, nous répliquerons par une contre-offensive sur Bajor.

— C'est une déclaration de guerre, dit Litna.

— C'est une déclaration d'intention, précisa Danar. Vous avez déjà commencé la guerre.

— Personne n'a commencé de guerre, répéta Sisko. Renvoyez tous deux vos vaisseaux chez vous. Nous avons d'autres chats à fouetter dans ce secteur de l'espace.

— J'arriverais peut-être à vous croire, commandant, si vous pouviez être plus précis, déclara Gul Danar.

— Et je serais heureux de pouvoir l'être, argua Sisko. Le problème serait peut-être réglé à l'heure qu'il est. Mais c'est impossible. Et je n'ai, par-dessus le marché, nul besoin d'assister à vos chamailleries infantiles.

— Ils ont attaqué nos vaisseaux, dit Gul Danar.

— Ils violaient notre espace pour la dernière fois, répliqua Litna.

— Encore une seule attaque, et nous nous défendrons, termina Gul Danar, dont l'image sur l'écran s'évanouit.

— Nous ne possédons pas beaucoup de vaisseaux, commandant, mentionna Litna. La lutte serait inégale. Nous comptons sur vous pour assurer notre protection. Bajor ne se réjouit guère des événements survenus au cours des dernières vingt-quatre heures. Si la situation demeure inchangée, nous ne serons pas responsables des conséquences.

L'écran vide avala le visage du capitaine bajoran.

— Major, ordonna Sisko. Reprenez contact avec eux.

— Je suis pas certaine que la discussion soit la meilleure solution.

— Nous n'avons pas d'autre choix.

Une surcharge eut pour effet d'illuminer la console de O'Brien d'une éclatante palette de couleurs. Avec un bip qui mourut lentement, le système de communications s'éteignit tout à fait.

— Désolé, dit O'Brien. Les communications ne répondent plus.

— Trop tard à présent, conclut Sisko. Dax, continuez de chercher la cause de ces dérèglements. Nous allons nous retrouver avec la guerre totale si nous ne trouvons pas une solution.

Dax lui répondit d'un léger signe de tête. Sisko se tourna vers Kira et O'Brien :

— Faites-vous une priorité d'établir la communication avec Starfleet. Nous allons avoir besoin d'aide, dit-il, balayant Ops du regard. Les turbolifts sont-ils en opération ?

— Pour l'instant, oui, commandant.

— Bon. Je me rends à mes quartiers, me rafraîchir. J'y serai durant la prochaine demi-heure, si on doit me joindre.

Sisko se dirigea vers les lifts. Comme il amorçait sa descente, les lumières se mirent à vaciller.

— Chef, constata Dax avec calme. Ma console vient de lâcher.

O'Brien poussa un soupir. Il lui semblait que rien ne serait plus jamais comme avant.

CHAPITRE 17

— Pour l'amour du ciel, ouvrez !

Cynthia Jones se renversa dans son fauteuil et, de sa main gauche encore libre, elle caressa le cou de Julian Bashir. Le bon docteur sursauta, et Garak fit la grimace. Cette Jones ne pouvait pas se retenir de peloter le médecin, même si cela crevait les yeux qu'il ne voulait rien savoir.

Garak n'arrivait pas à s'expliquer pourquoi le bon docteur n'envoyait pas promener cette femme. Il est vrai que Bashir n'était pas très déluré côté relations sociales. Le Cardassien gardait le souvenir du jour où il avait demandé de l'aide à Bashir. Garak avait dû s'expliquer en long et en large avant que le docteur ne comprenne où il voulait en venir.

Nam, le joueur férengi à qui s'était adressé Cynthia Jones, versa enfin sa mise initiale.

— Ce n'est pas trop tôt, nota Kinsak, le Romulan. Il n'est pas nécessaire de réfléchir pour ouvrir le pot, à moins que vous ne songiez à vous retirer du jeu.

Nam se frottait l'oreille gauche comme si elle lui avait démangé :

— Ce n'est pas que je réfléchissais, assura-t-il avec une flagornerie toute férengi. Je... prenais mon temps.

Il manigançait quelque chose, tout le monde s'en doutait. Kinsak et son ami Darak — qui affichaient une étonnante sérénité au lendemain du meurtre d'un autre Romulan — observaient Nam de la même manière qu'un tigre Ynien fixe la gazelle dont il va se repaître. Harding mordillait son cigare férengi, l'œil vissé sur Nam, la bouche tachée de marques jaunes de tabac. Klar, l'autre humain présent à la table, avait par deux fois décoché un regard furtif dans le jeu de Nam — avec très peu de discrétion. Seul le Irits semblait rester imperturbable, mais personne n'aurait pu lire son visage d'obsidienne dénué de toute expression. Garak l'enviait : une impassibilité totale, idéale au poker.

— Vous preniez votre temps... , dit Klar en écho. Mais bien sûr. À quoi d'autre pourrait-on s'attendre de la part d'un Férengi ?

— On... peut... s'attendre... à... ce... que... le... Férengi... joue... selon... ses... propres... règles, articula le Irits.

Garak eut les oreilles écorchées par sa voix qui ressemblait à un grincement métallique. On aurait dit que la créature utilisait un dispositif technique quelconque pour s'exprimer dans cette langue, mais Garak, bien qu'il eût essayé, n'en avait découvert aucun.

La donneuse brassa les cartes. C'était une humaine à la taille élancée et aux cheveux brun noisette, dont les doigts se mouvaient avec une surprenante agilité. Il n'y avait aucun donneur férengi — un choix judicieux de Quark, puisque personne n'aurait eu confiance en eux. Garak observait cette humaine avec beaucoup d'attention. Elle non plus, il n'était pas certain de pouvoir lui faire confiance.

Il avait eu la main heureuse au cours des deux premières heures de jeu. Il avait devant lui plus de chips qu'en début de partie — pas si mal, compte tenu qu'il avait passé la majeure partie du temps à essayer de comprendre le style de jeu de ses adversaires. Ce succès lui rendait plus supportable l'inconfort de la salle. Il s'était demandé, durant la première heure, s'il parviendrait à survivre — non pas à cause des cartes qu'il recevait ou du talent des autres joueurs, mais parce que la température extrêmement élevée rendait l'atmosphère et l'odeur intenables. La Meepode avait beau être assise trois tables plus loin, la chaleur suffocante intensifiait les relents de sa puanteur. Garak s'attendait bien sûr à ce que tous soient un peu défraîchis vers la fin de la partie, mais commencer dans de telles conditions était de mauvais augure.

Les systèmes de climatisation s'étaient toutefois mis en marche, et maintenant, si le refroidissement continuait, la salle serait devenue une glacière avant la fin de la soirée — ce qui aurait au moins l'avantage de faire disparaître les odeurs.

La donneuse distribua deux cartes à chaque joueur. Nam inclina la tête vers la gauche et Klar le regarda faire en fronçant les sourcils. L'attention de Cynthia Jones se détourna du docteur Bashir pour se porter sur le jeu qu'elle avait reçu. Garak jeta un bref coup d'œil au sien : une paire de deux. Un bon début.

Harding ouvrit les mises à cinq barres de latinum endoré. Garak, Cynthia, le Irits et Klar suivirent, alors que les Romulans passèrent. Nam considéra successivement ses cartes, puis le tas de chips empilé au milieu de la table.

— Vous n'avez pas à délibérer, finit par dire Cynthia Jones. C'est pourtant simple : vous suivez, vous relancez, ou bien vous passez.

Nam lança ses cinq jetons rouges d'une main tremblante. Il se pencha vers la droite, forçant Garak à cacher son jeu contre sa poitrine.

La donneuse déposa les cartes du Flop : un autre deux, un quatre de cœur et un cinq de pique. Nam se redressa brusquement et se frotta une fois de plus l'oreille gauche, puis sourit. La donneuse jeta vers lui un bref regard chargé d'anxiété. On ne se met pas à sourire en pleine partie, au poker. Nam n'attendit même pas que Harding ouvre la ronde de mises : il lança six chips rouges d'une main qui, pour la première fois, ne tremblait pas.

Garak avait déjà joué contre des Férengis. Leur jeu était irrégulier, erratique ; ils misaient souvent au gré de leur frivolité, espérant des gains faramineux sans aucun effort. Mais il était très difficile de percer les intentions de Nam. Klar lissa ses cheveux argentés de la main, l'œil vide. Personne n'avançait de chips. Le regard de Nam fit le tour de la table.

— Eh bien ? se gaussa-t-il d'un air triomphant. Vous suivez, vous relancez, ou bien vous passez, comme le disait la dame tantôt.

Il tendit le bras pour ramasser quelques jetons de plus mais, d'un geste si prompt que Garak ne le vit même pas, Klar saisit le poignet du Férengi.

— Attention, Férengi, ne fais pas déborder la coupe, le prévint Klar sur un ton tranchant qui s'accordait à son regard.

Garak sentit un frisson lui parcourir l'échine.

L'espace d'un instant, pas un seul joueur ne bougea. Nam semblait s'être ratatiné dans son fauteuil. Garak plissa le front. L'avertissement de Klar le troublait, peut-être parce qu'il signifiait que l'humain avait connaissance du jeu ou des motivations du Férengi. Ou peut-être était-ce le ton glacial de Klar qui l'inquiétait, celui, menaçant, de l'exécuteur signifiant au Férengi que la moindre erreur pourrait lui être fatale.

Le Irits ramassa six chips et les lança dans le pot au milieu de la table.

— Est-ce... que... tout... le... monde... passe... ? demanda-t-il.

— *Je tiens*, annonça Cynthia Jones.

À son tour, Harding déposa sa mise. Klar dévisagea Nam un long moment.

— Je ne laisserais pas passer cette main pour rien au monde, finit-il par dire.

Malgré son brelan de deux, Garak se retira. Ce n'était pas une main fantastique et il ne se sentait pas l'envie de participer à la lutte entre Nam et Klar.

La donneuse retourna la quatrième carte. Tous avaient le regard fixé sur Nam qui, de son côté, ne lâchait pas Klar des yeux. Pas un seul trait du visage de l'humain n'avait bougé. En fin de compte, Nam abandonna, et sa main trembla de nouveau. On entendit un léger bourdonnement, et Nam se pencha vers la table en portant la main gauche à son oreille.

— Est-ce que tout va bien ? lui demanda Garak.

— Une simple douleur au tympan, articula Nam. Je vous prie de m'excuser, ajouta-t-il en enfonçant son doigt à l'intérieur de son oreille.

Cynthia Jones écarquilla les yeux.

— C'est dégoûtant, laissa tomber Garak. On ne me reprendra plus à jouer au poker avec un Férengi.

Harding, Klar et le Irits achevèrent la ronde pendant que les autres continuaient de surveiller Nam. C'est à peine si Garak remarqua que Klar avait remporté la cagnotte.

— Pour l'amour du ciel, Nam, retirez votre doigt de votre oreille. Nous sommes ici pour jouer au poker, pas pour assister à votre toilette ! s'offensa Cynthia Jones, et son tribble se mit à pousser ses petits cris, comme pour appuyer ses propos indignés.

— Sommes-nous prêts pour la prochaine ronde ? demanda la donneuse en mélangeant les cartes.

— De... grâce... , bégaya le Irits. Ne... nous... attardons... pas... à... ce... spectacle... agaçant.

— Ni à vous écouter essayer de baragouiner une phrase, se moqua Klar.

Garak regarda les joueurs d'un air réprobateur.

— Il me semble qu'il ne nous en coûterait pas beaucoup de rester courtois les uns envers les autres.

— Mais quelle espèce de Cardassien êtes-vous ? s'exclama Kinsak en secouant la tête. Rester courtois... Quelle blague !

La donneuse avait mélangé les cartes et les déposa devant Cynthia Jones, qui coupa le paquet exactement au milieu. L'humaine distribua ensuite deux cartes à chaque joueur.

— Je suis un humble couturier, répondit Garak en ramassant les siennes — un huit de pique et un valet de cœur.

— Qui demeure sur une station spatiale de la Fédération, marmonna Harding, cigare entre les dents. (Il jeta deux chips.) Dis donc, Klar, les espions sont-ils toujours aussi *courtois* ?

Klar ajouta deux jetons rouges au pot.

— Il est plus facile de passer inaperçu quand on reste courtois, se contenta-t-il de dire.

— Sauf si on est cardassien, reprit Kinsak, lançant sa mise pour suivre.

— Ou klingon, rétorqua Garak avec dégoût.

Il suivit lui aussi, tout comme le Irits et Cynthia Jones. Nam relança d'un troisième chip, un geste que les autres joueurs imitèrent. Ils voulaient tous voir le Flop.

D'un geste habile, la donneuse retourna les trois cartes suivantes. Chacune d'elles s'abattit sur la table avec un bruit sec : le trois de cœur, le neuf de cœur et le dix de trèfle. Garak rapprocha son jeu contre lui. Avec le huit et le valet, il ne lui manquait plus qu'une carte pour compléter une séquence, mais les deux cœurs sur la table donnaient une chance égale d'un flush à un autre joueur. Ses chances étaient encore bonnes. Il lui restait à surveiller comment allaient miser les autres.

Cynthia Jones passa. Nam suivit et Klar renchérit la mise. Tous les autres joueurs se retirèrent. Nam semblait avoir repris de l'assurance quand il déposa ses jetons.

Bientôt, ce ne fut plus sur Garak mais sur le jeu lui-même que se porta l'attention de chacun.

Garak commençait à frissonner — et ce n'était pas seulement à cause de la température de la pièce. L'attitude de Nam avait complètement changé. Depuis les deux dernières rondes, il avait acquis une confiance suspecte. L'attitude des joueurs férengis était toujours difficile à déchiffrer ; mais ceux qui étaient ici et qui participaient à un tournoi organisé par un de leurs compatriotes, se trouvaient doublement suspects. Tout particulièrement si leur comportement insolite se modifiait sans cesse.

Peut-être existait-il une explication simple. Peut-être que Rom avait reçu de meilleures cartes. Ou encore qu'il avait oublié les sommes en jeu pour s'absorber tout entier dans la partie. Garak attendrait son heure, en restant attentif aux prochaines donnes.

Avec une aisance acquise par des années de pratique, la donneuse retourna la carte suivante : la dame de cœur. Un léger frisson de fièvre aiguillonna Garak. Il tenait sa séquence, mais il y avait trois cœurs sur la table, assurant un flush à celui qui en possédait deux autres. La séquence ne serait peut-être pas assez forte pour remporter la main. Quand vint son tour, il avança deux chips — une mise prudente, signalant toutefois à ses opposants qu'il resterait jusqu'à l'Épreuve.

Nam poussa alors la moitié de sa pile de chips vers le milieu de la table, une petite fortune en platinum endoré. Le léger frisson qu'avait ressenti Garak l'envahit alors tout entier. Ou bien le Férengi jouait au poker à fond de train — misant tout sur une main avantageuse et geignant dans le cas contraire — ou bien il détenait des renseignements qu'il n'aurait pas dû posséder.

Quoi qu'il en fût, Garak n'y pouvait rien. Il se cala dans son fauteuil et prit un moment pour décider s'il allait suivre ou passer.

Il n'eut aucune décision à prendre.

— Tu as triché, dit Klar, d'une voix sourde et menaçante.

— Les Férengis ne trichent pas, se récria Nam.

Garak disposa ses cartes l'une sur l'autre et les cacha dans sa main, qu'il appuya sur la table. Il changea de pose pour s'éloigner des deux joueurs qui se disputaient.

— Toi, si, soutint Klar.

Son regard était toujours aussi froid, d'une impassibilité que Garak n'avait vue qu'une seule fois, dans les yeux d'un Cardassien sur le point d'assassiner un prisonnier.

— Je n'ai jamais triché de ma vie ! clama Nam.

— Et tu n'as jamais menti non plus, je présume, répliqua Klar.

Quark sembla s'être soudain matérialisé près de la table.

— Y a-t-il un problème ici ?

— Tu as laissé des tricheurs s'inscrire à ton tournoi, dit Klar.

— Je n'ai pas triché, protesta Nam en levant les yeux vers Quark. Tu le sais, toi. Je suis un joueur honnête qui mise simplement trop haut au goût de cet U-main.

— Il essaie de nous rouler, grogna Klar.

Quark posa sur l'humain un regard que Garak reconnut. Il l'avait déjà remarqué chez le Férengi, quand celui-ci considérait un client insatisfait, à son bar, en tentant d'évaluer l'attitude qu'il devait adopter à son endroit.

— Quelles preuves avez-vous pour soutenir vos accusations ? lui demanda Quark, sans agressivité, ce qui procura à Garak un certain soulagement.

— Il a échangé des cartes, dit Klar. Fouillez-le, vous verrez bien.

Garak déposa son jeu et poussa son fauteuil un peu plus loin, pour rester à distance de cette chicane.

— Je n'ai rien fait de tel, se défendit Nam. Voyons, Quark, personne ne serait assez idiot pour faire ça dans un tournoi. Je n'utiliserais jamais ce moyen pour tricher. Je...

Quark lui arracha les cartes des mains et les examina, sans les montrer à personne. Il regarda ensuite les cartes sur la table, puis déposa le jeu de Nam, fermé, sur le tapis de feutre, avant de fouiller celui-ci et de lui faire retourner ses manches. Quark haussa les épaules et se tourna vers Klar.

— Je ne trouve aucune preuve de tricherie, dit-il.

L'expression de Klar ne changea pas, mais la température baissa dans la salle.

— Avez-vous remarqué quelque chose ? demanda Quark à la donneuse.

Elle jeta un coup d'œil en direction de Klar avant de répondre. Il fixait sur elle un regard identique à celui d'un carnassier marin slovien qui étudie sa proie. La donneuse ne perdit pas contenance et secoua négativement la tête.

Quark fit une courbette à Klar, un geste de conciliation férengi.

— Je suis désolé, dit-il. Mais je dois maintenir la donne. Si d'autres problèmes se présentent, appelez-moi. Poursuivez la partie.

Il disparut aussi vite qu'il était venu. Garak rapprocha son fauteuil de la table.

Klar regarda tour à tour l'imposante cagnotte et Nam. Il passa.

— Tu ne perds rien pour attendre, Férengi, le menaça-t-il.

Nam poussa un gloussement et donna de petites tapes sur sa mise, s'agitant sur son fauteuil comme un enfant excité. Les Romulans se retirèrent, et le Irits aussi, ainsi que Garak. Nam tira la cagnotte vers lui, le visage illuminé par la cupidité. Il doublait ses gains avec cette seule main.

Le couturier l'observait. Nam remportait le pot, mais il semblait au Cardassien que ce n'était pas la seule chose qu'il gagnait... et Garak ne l'enviait guère, malgré la pile de chips qui s'élevait devant lui.

Non, il ne l'enviait pas du tout.

CHAPITRE 18

Les mains de Kira tremblaient. Il lui semblait d'ailleurs que tout son corps était parcouru de tremblements. Si elle s'arrêtait d'être en mouvement, elle s'effondrerait sur-le-champ, pensait-elle, en même temps qu'elle se tenait prête à affronter toute nouvelle difficulté, quelle qu'elle fût.

Elle concentrait son attention sur la console de communications, vérifiant si les liaisons avaient été rétablies à la suite des réparations de O'Brien. Impossible encore de savoir si les communications de longue portée parvenaient à destination, mais elle envoya un message encodé à Starfleet, expliquant leur situation et leur demandant de l'aide.

Kira prit un moment de répit et regarda autour d'elle. Le commandant Sisko avait quitté la passerelle. O'Brien jurait au-dessus de la console d'ingénierie. Les doigts de Dax dansaient sur le clavier de la console scientifique, commandant diagnostic sur diagnostic. Penchée sur le pupitre des opérations, Carter écarta une mèche tombée sur son visage, ce qui révéla son expression soucieuse.

Le commandant avait demandé à Kira de joindre Litna, mais elle avait jusqu'à maintenant reporté l'exécution de cet ordre. Le capitaine Litna avait commandé durant plusieurs années à un bataillon des Combattants de la liberté bajorans et dirigé des raids couronnés de succès contre des positions fortes établies par les

Cardassiens. Depuis que Kira, encore enfant, l'avait rencontrée, près des fontaines, elle gardait à son égard un respect craintif. Kira aurait voulu se terrer sous le tableau de communications quand elle avait entendu Sisko l'apostropher d'une manière si cavalière. Certains aspects de la diplomatie bajoranne semblaient parfois échapper à l'analyse du commandant.

Kira inspira profondément et tenta d'établir la communication avec le vaisseau de Litna. Il n'y eut d'abord aucune réponse. Kira se mordit la lèvre. Était-il arrivé quelque chose ? Les Cardassiens s'en étaient-ils pris à Litna ? Était-elle saine et sauve ? Tout cela n'était-il qu'un complot ?

Au second appel, Litna apparut sur le maître écran, et toute activité cessa sur Ops. Quand Dax la jaugea du regard, Kira sentit le feu lui monter aux joues. Elle s'éloigna de sa console pour aller prendre la place habituelle de Sisko devant le pupitre des opérations.

— Vous m'avez appelée, *major* ? demanda Litna, appuyant sur ce titre avec une pointe de sarcasme.

— Oui, capitaine, répondit Kira, qui avala sa salive d'un trait. Le commandant Sisko m'a demandé d'éclaircir certains points avec vous...

— Sage décision, l'interrompit Litna avec un sourire sans joie. Désirait-il que nous discutions de femme à femme ou de Bajoranne à Bajoranne ?

Kira expira l'air qu'elle retenait dans ses poumons.

— Capitaine, c'est *moi* qui ai demandé à vous parler, puisque vous refusiez de l'écouter. Vous persistez à croire que les Cardassiens attaquent Bajor, alors qu'il n'en est rien.

— Vraiment, major ? Mais dans ce cas, que nous arrive-t-il ?

— Écoutez, continua Kira, serrant les mains derrière le dos. (Jamais elle n'avait rencontré quelqu'un d'aussi têtu.) Nous subissons les effets d'un phénomène subspatial qui nous affecte tous, vous, nous, les Cardassiens, et tout ce qui se trouve dans ce secteur. Un vaisseau férengi a été désintégré sous la force de ce...

— Et vous ignorez la nature de ce phénomène, martela Litna, croisant les bras. Ne pourrait-il pas s'agir d'une ruse des Cardassiens ?

— Vous croyez qu'ils détruiraient leur propre flotte ?

— Nos relevés ne font nullement état d'une destruction de leur flotte. Peut-être certains de leurs vaisseaux éprouvent-ils des difficultés, cela n'a rien d'extraordinaire, argumenta Litna en s'approchant de l'écran. Pouvez-vous me dire, major, ce qui ne va pas avec le vaisseau de classe Galor que je vois dans l'espace bajoran ?

— En ce moment, rien. Mais...

— Erreur, major, répliqua Litna avec un froid sourire. Ce qui ne va pas, c'est que ce vaisseau de guerre cardassien se trouve dans l'espace bajoran. Et la Fédération — qui a prêté le serment de nous protéger — ne fait absolument rien. Pire, le major Kira Nerys, qui agit à titre d'intermédiaire entre le gouvernement de Bajor et la Fédération, tente d'excuser à la fois la Fédération et le vaisseau cardassien. Peut-être l'avez-vous oublié, major, mais c'est *Bajor* que vous représentez.

Ce fut comme si Litna l'avait envoyée au plancher d'un direct dans les côtes.

— Je ne l'ai pas oublié, capitaine. Seulement...

— Tant mieux, coupa Litna. Trouvez une réponse au problème. Dans l'intérêt de Bajor.

L'écran devint tout blanc, Kira reprit son souffle en inspirant profondément. Tout le monde sur Ops la regardait.

— Prenez ça comme vous voulez, major, lui dit O'Brien, mais elle n'a même pas essayé de comprendre ce que vous tentiez de lui expliquer.

Kira crispa les mains sur le pupitre des opérations. Quelques mots du capitaine Litna avaient suffi à la faire redevenir une fillette de dix ans. Kira ne commettait aucune trahison envers Bajor. Le capitaine Litna ne voulait effectivement rien entendre.

— Je devrais peut-être essayer de reprendre contact.

Kira baissa le regard vers le pupitre. Quelques voyants allumés indiquaient des bris, un peu partout sur la station.

— Pour tenter de la ramener à la raison.

— Croyez-moi, major, dit O'Brien, vous ne la ferez pas changer d'idée.

— Je crois que nous devrions plutôt trouver la cause du phénomène, quel qu'il soit. Quand ce sera fait, plus personne ne se croira attaqué.

Kira l'approuva d'un signe de tête. Ils avaient raison. Ce qui importait avant tout, en ce moment, était de mettre fin aux attaques.

Elle se défendrait plus tard. Litna se repentirait alors d'avoir mis sa loyauté en doute.

CHAPITRE 19

La classe, ce matin, avait paru interminable, surtout que madame O'Brien avait abordé le sujet des obligations des enfants en temps de crise. Non seulement devaient-ils faire attention et bien connaître les règles de sécurité de la station, mais il leur fallait également rester à proximité de leur foyer afin que leurs parents puissent les trouver en cas d'urgence.

Une fois de plus, Jake dérogeait à cette dernière directive. Il avait bien eu l'intention de regagner ses quartiers, mais Nog voulait retourner au Quark's. S'il n'avait pas vraiment envie d'aller traîner dans le coin du bar, Jake désirait encore moins se retrouver seul. Et puisque le papillotement des lumières persistait, que les contrôles environnementaux demeuraient hors d'usage et que la station était secouée pour une troisième fois, Jake savait que son père ne serait sûrement pas dans leurs quartiers lui non plus.

Depuis le jour où ils avaient fui le *Saratoga*, juste avant que le Borg ne le détruise, une agitation fébrile s'emparait de Jake chaque fois que survenait une crise, et il ne pouvait pas rester en place.

Il n'avait cependant pas demandé à venir ici. Nog et lui se trouvaient devant la porte d'une réserve de matériel portant le nom du Quark's estampillé sur toute sa surface. Nog vérifiait les signaux pour la cinquième fois. Jake craignait que son ami n'ouvre la porte pour faire irruption dans la pièce.

— Mais qu'est-ce qu'on fait ici ? demanda-t-il. On sait déjà où vont les signaux.

— Et tu ne veux pas voir ça ? dit Nog. Moi, si, figure-toi.

— Je préférerais m'en aller d'ici. S'il y a quelqu'un là-dedans, nous allons avoir de sérieux ennuis.

— Ouais, peut-être bien, admit Nog en remettant l'appareil dans sa poche. Mais je tiens absolument à savoir ce qui se passe. (Il garda le silence un moment.) J'ai trouvé ! Suis-moi !

Jake n'hésita qu'un instant. Chez lui, il aurait pu tranquillement faire ses devoirs ou écouter de la musique, tandis qu'ici il courait le risque de se faire mettre le grappin dessus ou, pire, de rester coincé dans un endroit où son père n'arriverait jamais à le retrouver.

— Allons, vite ! le pressa Nog.

Son bloc-notes sous le bras, Jake le suivit docilement. Il ne resterait que quelques minutes. Peut-être parviendrait-il finalement à convaincre Nog de lui apprendre à jouer au poker — chez lui.

Ils s'arrêtèrent au bout de la Promenade. Nog sortit le détecteur de sa poche et fronça les sourcils.

— Regarde ! dit-il à Jake.

Au lieu d'émettre un clignotement rouge, l'écran laissait échapper un signal sonore.

— Qu'est-ce que ça signifie ? demanda le jeune humain.

— Il y a deux séries de signaux. L'une va jusqu'à la réserve et l'autre au bout de ce couloir. C'est bizarre.

— Deux séries de signaux ? répéta Jake, intrigué.

Nog fit oui de la tête.

— La réserve ne servirait donc qu'à créer une diversion ? supposa Jake.

— Je l'ignore, mais je vais le savoir.

— Jake !

Le garçon ferma les yeux. C'était son père. Jamais il n'aurait cru le rencontrer ici. L'adolescent se retourna et rouvrit les paupières.

— Salut, papa.

— Je croyais t'avoir demandé de ne pas bouger des quartiers quand il y a des problèmes sur la station.

— J'étais en route, mentit Jake, d'un mince filet de voix.

Il n'avait certainement pas choisi le chemin le plus court, puisque la salle de classe était située plus près de leurs quartiers que le lieu où il se trouvait en ce moment.

Nog, à côté de lui, gardait les bras serrés le long du corps. Son détecteur avait disparu, probablement dans l'une de ses poches. Avec son uniforme fripé et sa barbe pas rasée, Sisko avait l'air épuisé. Jake ne l'avait pas vu dans cet état depuis longtemps.

— Nos quartiers sont très loin d'ici, observa Sisko.

— Je sais, dit Jake, examinant le bout de ses pieds. (Le bloc-notes tomba dans son champ de vision.) Nous avons eu un cours, ce matin. Nog et moi, on allait prendre une bouchée au Réplimat avant de rentrer.

— Bon, d'accord, accepta le père de Jake, jetant un œil aux alentours. Vas-y quelques minutes, mais reviens tout de suite. Je veux savoir où tu es.

Jake se mordit la lèvre inférieure.

— Vas-tu rester un peu à la maison, ce soir ? demanda-t-il.

— Non, malheureusement. Je dois aller au Quark's faire une vérification. Je m'arrêterai ensuite à la maison prendre une douche et me raser, mais je retournerai sur Ops après.

— Ah, fit Jake.

Jake aurait accompagné son père s'il s'était rendu directement à leurs quartiers. Il lui aurait parler de la tricherie en cours. D'ailleurs, pourquoi ne pas lui en parler tout de suite ?

— Papa ?

— Oui, mon garçon ?

— Tu sais qu'il y a une partie de cartes au Quark's ?

Sisko poussa un soupir et hocha la tête :

— C'est une des raisons de ma visite.

Nog lui serra le bras, juste assez pour le mettre en garde, et Jake dut garder le silence en présence de son ami.

— Je peux venir avec toi ?

— Le Quark's n'est pas un endroit pour toi, expliqua son père. Surtout pas en ce moment.

— D'accord, dit Jake, sans pouvoir dissimuler une pointe de déception dans sa voix. (Peut-être retournerait-il à la maison après être passé au Réplimat. Il avait beaucoup de choses à faire.) On se verra plus tard.

Son père posa la main sur son épaule.

— Jake ! l'interrompit Nog. J'ai oublié mon bloc-notes là-haut.

Jake le regarda du coin de l'œil. La dernière fois que Nog avait rapporté un bloc-notes de la classe remontait à la visite du Nagus.

— C'est bon, lui dit Jake. Montons le chercher. On ira au Réplimat après.

Nog commença à gravir l'escalier qui menait à la Promenade. Jake le suivit, mais il s'arrêta à mi-chemin pour regarder en bas. Il vit son père passer lentement devant les boutiques et inspecter le secteur. Sisko ne se départait jamais de sa fonction de commandant et veillait sans faillir à la bonne marche de la station. Jake aurait dû lui parler des signaux, mais peut-être son père était-il déjà au courant.

— Allons, dépêche-toi ! dit le jeune Férengi, parvenu au haut de l'escalier.

Jake soupira et accéléra le pas pour rejoindre son ami, qu'il trouva déjà occupé à ouvrir la trappe d'accès.

— Alors, tu viens ? demanda Nog.

Jake osa un regard furtif par-dessus la rambarde. L'air soucieux, son père inspectait le bureau de Odo, qui était fermé.

— Je pense que oui, répondit-il.

— Dans ce cas, ne perdons pas de temps. Il ne faudrait pas que ton père nous voit, hein ? souffla-t-il en se glissant à l'intérieur de la galerie de service.

Jake le suivit. Il n'en aurait que pour quelques minutes. Ensuite il rentrerait à la maison.

Sans tarder.

CHAPITRE 20

— N'est-il pas *fascinant* de voir, pérorait Berlinghoff Rasmussen, d'une voix claironnante qui couvrait le bourdonnement des conversations, comment certaines choses peuvent traverser les âges alors que d'autres disparaissent sans laisser de trace.

Bashir poussa un soupir et empila ses chips. Rasmussen, un homme efflanqué, au crâne chauve, s'exprimait avec autorité, semblant croire qu'il était de son devoir de divertir l'assemblée réunie autour de la table. Bashir aurait préféré pouvoir converser paisiblement avec Sarlak, le Vulcain assis à côté de lui.

— Prenez le poker, par exemple, poursuivit Rasmussen. C'est un jeu d'origine humaine qui s'est répandu dans la galaxie entière. Mes ancêtres y jouaient déjà, et comme je suis âgé d'au moins deux siècles de plus que quiconque ici...

— ...vous devriez donc jouer avec beaucoup plus d'intelligence que tout le monde à cette table, le rembarra Pera, le Bajoran.

Il occupait le fauteuil voisin de Rasmussen et semblait tout aussi fatigué de cet incessant babillage que Bashir.

Berlinghoff n'était pas un mauvais bougre. Selon ce que Bashir avait pu apprendre, l'homme était une espèce d'artiste de l'escroquerie, débarqué sur l'*Entreprise* dans une machine à voyager dans le temps en prétendant venir du futur alors qu'il arrivait en réalité du passé.

Bashir avait déduit que la machine en question avait dû être volée. Rasmussen avait indirectement évoqué l'excellent traitement réservé aux prisonniers dans les colonies de réhabilitation du vingt-quatrième siècle. Il fallait qu'il en ait visité plus d'une pour poser ce jugement.

— Les jeux de hasard existent dans la plupart des cultures avancées, mentionna Sarlak, joignant les doigts en pyramide tandis qu'il observait la donneuse mélanger les cartes.

— Il y en même sur votre planète ? s'étonna Haurk, le Férengi qui prenait place à gauche de Bashir, comme si la chose eût été incroyable.

— Voilà plusieurs siècles que les Vulcains ont délaissé ce genre de divertissement, précisa un Romulan, d'une table voisine.

— Notre culture, continua Sarlak sans relever le commentaire, prend plaisir à étudier de nombreux aspects de l'univers. La théorie du jeu, par exemple, ce qui explique ma présence ici. Je m'intéresse tout particulièrement aux jeux dont les probabilités varient constamment, tel que le poker.

— Ce qui me surprend, c'est que vous puissiez bluffer, avoua Rasmussen. Je croyais que les Vulcains ne bluffaient jamais.

— En vérité, nota Bashir, voilà une question franchement déplacée. Vous demandez à Sarlak de divulguer sa stratégie.

Sarlak posa la main sur le bras de Bashir :

— Non, sa question soulève un important problème théorique qui donne du fil à retordre aux théoriciens des jeux vulcains depuis fort longtemps. S'il est vrai que les Vulcains ne bluffent jamais, c'est également le cas de tous ceux qui jouent au poker.

— Ça va, grand-père, boucle-la, lui intima Pera. Tout le monde bluffe au poker.

— En termes de poker, c'est exact, convint Sarlak avec un hochement de tête. Si vous considérez que l'on bluffe lorsqu'on prétend que l'on fera une chose qu'on ne compte pas réaliser, alors vous avez raison : les Vulcains ne *bluffent* pas. Mais, au poker, la signification du mot bluff est différente. Les joueurs jouent pour gagner, et le bluff est une stratégie qu'ils utilisent pour y parvenir. Au poker, on gagne en persuadant les autres joueurs qu'on peut gagner. Ou en leur faisant croire le contraire. Puisque que tous admettent et savent qu'il s'agit peut-être d'une ruse, elle n'en est plus vraiment une, du fait même.

Bashir sourit et se cala dans son fauteuil.

— Je crois comprendre ce que vous voulez dire.

— Eh bien, pas moi, déclara Rasmussen. Tout cela est trop bien raisonné à mon goût.

— En fait, reprit Sarlak, quelques-uns des penseurs vulcains les plus éminents se sont penchés sur cette question au cours des siècles. Je suis ici pour mettre à l'épreuve les réponses qu'ils ont trouvées.

Et il se débrouillait plutôt bien. Son style de jeu était certes peu orthodoxe, pensait Bashir, mais ce qu'il disait était sensé. Sarlak pratiquait un jeu largement basé sur les probabilités, laissant peu de place au bluff, et il s'en était très bien tiré jusqu'à maintenant.

Mieux en tout cas que le Romulan qui s'était joint à eux, et qui avait froncé les sourcils quand il avait aperçu le Vulcain. Comme il n'avait pas manqué, à son arrivée, de les informer tous qu'il était le meilleur joueur à cette table, personne n'avait été navré de le voir le premier perdre tous ses chips. Après avoir perdu le dernier pot aux mains de Sarlak, il avait lancé ses cartes en direction de la donneuse, puis il était sorti de la salle sans se retourner. La tension autour de la table s'était notablement relâchée après qu'il fût parti.

Bashir regrettait le départ de celui qui avait été le deuxième à abandonner le jeu, un vieux capitaine de cargo qui avait échangé quelques anecdotes avec Rasmussen. Il se défendait bien, mais n'avait pas reçu des cartes qui lui auraient permis de gagner. Lorsqu'il avait perdu son dernier chip, il s'était levé et avait salué les joueurs, souhaitant à tous une meilleure chance que la sienne. Jusqu'à maintenant, son vœu avait presque été exaucé.

Bashir n'avait perdu que les deux tiers de son tapis. Il savait qu'il lui restait assez de jetons pour suivre une main importante et se refaire. Sarlak réussissait à se maintenir à flot, mais Bashir jugeait que son jeu était trop prévisible. Il essuierait probablement de petites pertes successives et serait éliminé à la fin de la nuit. Pera avait devant lui une pile de chips respectable, mais Bashir était persuadé que ce serait lui le prochain à quitter la table. Il jouait avec agressivité, mais parfois sans prudence, et il lui arrivait de suivre alors qu'il aurait dû passer.

C'était les deux Férengis qui inquiétaient le plus Bashir. Ils jouaient affreusement mal, misant parfois une petite fortune sur une paire de deux, mais une veine miraculeuse et très louche, semblait les accompagner. Le coup de bol de Haurk, à la dernière main, lui avait permis de retrouver sa position de départ.

— Chaque siècle a connu des as du poker qui ont fait l'objet de légendes, reprit Rasmussen, dans le but évident de changer de sujet et de reporter sur lui l'attention de tous.

— La plupart d'entre nous ne s'intéressent pas aux légendes, fit observer Pera en lissant ses cheveux foncés d'une main. C'est la partie qui nous intéresse.

— Je crois que quelqu'un devrait couper, dit Bashir quand la donneuse posa les cartes sur la table. (Pas plus que Pera, il n'avait envie d'entendre raconter des histoires.)

— Certaines de ces légendes s'avèrent passionnantes et ont été à l'origine de l'évolution du jeu, mentionna Sarlak.

Morn, l'extraterrestre gibbeux et plutôt taciturne qui avait l'habitude d'échanger des blagues avec Quark quand il passait à son bar, tendit le bras devant Rasmussen et coupa. C'était un geste qui contrevenait au règlement mais personne ne protesta. Tous semblaient désirer voir la partie se poursuivre.

— Mon père me parlait souvent d'un oncle qui...

— Veuillez m'excuser, l'interrompit Bashir, mais laissons un peu tomber les anecdotes et jouons plutôt cette main.

La donneuse fit la distribution et Bashir attendit de recevoir sa deuxième carte avant de regarder son jeu. Une espèce de superstition l'incitait à attendre d'avoir reçu toutes ses cartes avant de les examiner, une habitude qui remontait à son enfance ; il s'imaginait à cette époque que les toucher avant le temps pouvait conjurer sa chance. Il arrivait parfois, en fin de partie, que cette vieille croyance refit surface.

La donneuse déposa le paquet et attendit. Bashir fut le dernier à prendre ses cartes. Le roi et l'as de pique. Quel coup de pot ! C'est cette main qui lui permettrait de se refaire, il le sentait.

Il allait ramasser quelques chips quand la pièce fut plongée dans l'obscurité la plus totale. Bashir ne pouvait plus voir son jeu, même en le collant contre son visage.

Un silence consterné s'abattit sur la salle.

— Déposez vos cartes ! cria la voix de Quark. (N'y avait-il pas des systèmes de secours ici ?) Protégez vos chips jusqu'à ce que les lumières se rallument.

Bashir déposa son jeu sur la table et rassembla ses jetons près de lui. Il savait que Sarlak n'y toucherait pas, mais il se méfiait du Férengi. Et de Pera.

— Rom ! tonna la voix de Quark, de ce ton autoritaire et odieux qu'il prenait avec son frère. Pourquoi les lumières d'urgence ne s'allument-elles pas ?

La réponse de Rom se perdit dans le brouhaha croissant des conversations. Quand tous ceux qui étaient dans la salle se rendirent compte que la lumière ne revenait pas, des murmures mécontents commencèrent à s'élever :

— ...quelle stupidité d'organiser un tournoi sur une station construite par les Cardassiens.

— ...qu'il ne s'agit pas d'une attaque ?

— ...un plan des Férengis pour faire main basse sur notre argent...

— ...Krax ! Où est passé mon imbécile de fils ? Krax !...

Bashir discerna, à travers les commentaires épars, une série continue d'imprécations menaçantes qui lui donna la chair de poule. Quand les lumières s'étaient éteintes, la veille, Naralak était morte.

Un fauteuil fut renversé derrière lui. Il allait se retourner quand la salle s'éclaira.

La clarté lui fit plisser les yeux.

Sur le sol, près de la table voisine, un Férengi se tordait de douleur. Du sang tachait le fauteuil qu'il avait occupé.

Odo avait quitté son siège et accourait vers eux, suivi de Quark.

Bashir fut debout en un bond.

— Surveillez mes chips, demanda-t-il à Sarlak, qui acquiesça d'un signe de la tête.

Garak, le couturier, restait cloué sur son siège, non loin du Férengi, un bras levé dans un geste de défense. Il essaya de se mettre debout à l'arrivée de Odo, mais chancela. Bashir l'écarta et s'agenouilla auprès du Férengi ensanglanté qui essayait de se relever.

— Non, lui dit Bashir, en le recouchant doucement. Restez allongé.

Il examina brièvement les blessures. Les plaies, nettes, étaient dues aux coups d'un couteau bien affilé, comme ceux que Naralak avait reçus le soir précédent.

Mais Nam avait eu de la chance, si on peut dire, car son agresseur ne connaissait pas l'anatomie férengi. Les quatre coups auraient été mortels pour un humain ; ils auraient blessé grièvement un Romulan, et peut-être qu'un Klingon n'y aurait pas survécu. Mais les Férengis possédaient une anatomie différente de celle des autres espèces. Bashir intervint sans perdre un instant pour stopper le flux sanguin qui baignait la cage thoracique et traversait l'estomac. Le cœur aussi semblait avoir été touché. Bashir aurait besoin d'assistance.

— Ops ! hurla presque Odo dans l'intercom. Deux téléportations immédiates à l'infirmerie !

— Non ! cria Bashir. Il est trop faible, expliqua-t-il en frappant son commbadge. Envoyez une équipe médicale au Quark's. Vite !

— Quelqu'un a-t-il vu quelque chose ? demanda Odo aux joueurs se trouvant près de la victime et qui échangeaient des regards soupçonneux.

Après un coup d'œil aux hochements de tête négatifs, Bashir se concentra sur l'hémorragie de Nam.

— Klar prétendait que le Férengi trichait, rapporta Garak.

— Klar ? répéta Odo d'un ton interrogatif.

— Il a essayé de me flouer, laissa tomber l'intéressé.

En exerçant une pression sur la blessure, Bashir parvint à contenir le saignement. Par bonheur, Nam était de petite taille, même pour un Férengi, et Bashir avait les mains assez grandes pour bloquer deux blessures à la fois. Quand il releva les yeux, le jeune médecin vit Odo avancer vers Klar, qui reculait.

— Et vous avez essayé de le tuer pour cette raison ? l'accusa Odo.

Klar secoua la tête :

— Mais qu'est-ce qui vous fait croire ça ?

— Entre autres, les taches de sang qui couvrent vos mains, déclara le chef de sécurité.

Le couteau apparut dans la main de Klar avec une rapidité qui laissa Bashir pantois. Le sang encore frais du Férengi en teintait la lame.

Odo tenta de s'emparer de l'arme, mais Klar réagit à la vitesse de l'éclair, et enfonça brutalement le poignard dans la poitrine de Odo.

Le constable ne broncha même pas et n'essaya pas d'esquiver le coup. Son ventre se transmua en une masse de métal fluide qui laissa pénétrer le couteau et la main. Et quand Klar, abasourdi, voulut retirer la lame, Odo lui empoigna le bras au-dessus du coude et le tordit, envoyant l'objet glisser par terre, devant Bashir. Nam tressaillit, mais le jeune médecin le maîtrisa d'un geste sûr, et jeta un coup d'œil sur l'ustensile. C'était le même type de couteau qui avait tué Naralak.

Klar tenta d'échapper à l'étreinte de Odo, en vain. Odo resserra sa poigne pour le calmer.

— Je crois que Starfleet possède un dossier qui vous concerne sous le nom de... L'sthwan. N'est-ce pas ?

Nam respira bruyamment, puis toussa, et Bashir reporta son attention sur son patient. Il n'aurait pas dû venir à la partie sans son médikit. Il avait écarté cette idée quand il y avait songé. Pourquoi l'équipe médicale était-elle si longue à arriver ?

— Nam ? fit Quark qui vint s'accroupir à côté de Bashir.

— Vous me cachez la lumière, rugit Bashir, mais il se radoucit en voyant l'expression inquiète de Quark. Je fais tout ce que je peux. Une fois à l'infirmerie, il sera hors de danger.

Quark le remercia d'un geste de la tête et leva les yeux vers Klar, ou L'sthwan, si tel était son nom.

— Vous avez voulu assassiné Nam parce qu'il a triché ? lui demanda Odo.

— Je n'ignore pas que tricher est tout naturel pour ceux de votre race, dit L'sthwan. Alors peut-être qu'un génocide s'en vient.

Sa voix sans timbre, au ton glacial, donna des frissons à Bashir. S'il en avait le temps, il soumettrait l'individu à des tests psychologiques, même s'il en connaissait déjà les résultats.

— Quark est venu régler un différend entre eux il y a une heure à peine, rappela Garak.

Une moue anima les traits de Odo :

— Il ne semble pas avoir réussi, constata-t-il, et il poussa L'sthwan vers les portes. Moi, je vais le régler pour longtemps.

CHAPITRE 21

Sisko hésita un instant avant de s'engager sur la Promenade. Il se retourna et regarda l'escalier dans lequel son fils venait de disparaître. Jake lui avait paru bizarre, plus réservé que d'habitude ; son comportement avait eu quelque chose de puéril. C'était la première fois depuis longtemps qu'il demandait à son père de rester avec lui à cause d'une crise.

Sisko soupira à la vue de l'escalier désert. Dans des moments comme ceux-là, la présence de Jennifer leur aurait été nécessaire à tous les deux. Elle se serait occupé de Jake, et lui de la station.

Mais elle n'était plus là. Et il ne s'était toujours pas fait à son absence, même s'il était parvenu à l'accepter, peu de temps après son arrivée sur Deep Space Neuf, et il restait seul pour élever leur fils.

Il espérait que son travail recevait l'approbation de Jennifer.

Lui-même ne l'aurait pas toujours donnée.

Il entra dans la Promenade. Tous les commerces étaient fermés. Garak avait modifié la disposition de sa vitrine et un écriteau marqué *Fermé* masquait presque complètement les portes de sa boutique. C'était inhabituel. De plus, le couturier avait coutume, lorsqu'il prenait congé, de tout éteindre dans son commerce. Or, ce n'était pas le cas. La plupart des autres échoppes affichaient l'écriteau : *Fermé par arrêté de la station.*

Certains commerçants avaient fait imprimer ces panonceaux quand il était devenu évident que la Fédération voulait s'assurer de leur respect d'une certaine ligne de conduite. Quelques-uns d'entre eux avaient même dû fermer durant de courtes périodes, simplement pour se conformer à ce règlement. Les marchands avaient gardé les écriteaux et les utilisaient quand des problèmes survenaient sur la station.

Seul le Quark's était ouvert. Ouvert et désert. La partie devait se tenir dans l'arrière-salle.

Sisko était tout seul sur la Promenade. Les quelques rares personnes qu'il avait aperçues avaient disparu. Il entendit une vague rumeur, qui provenait apparemment du Quark's, et il allait entrer dans l'établissement, quand la lumière manqua. Un bip à peine perceptible lui apprit qu'un turbolift s'était immobilisé. Une odeur de chair pourrie, confondue à celle des roses, assaillit ses narines. Mais qu'est-ce qui pouvait dégager une telle puanteur ?

Il dut prendre appui contre le mur du hall d'entrée, non pas pour éviter de tomber mais pour garder son équilibre. L'obscurité était totale. Pourquoi les Cardassiens n'avaient-ils pas installé des unités d'éclairage auxiliaires sur la Promenade ? Le commandant avait bien demandé à O'Brien de s'en occuper durant ses moments libres mais, avec tous les problèmes sur la station, l'ingénieur n'en avait jamais. Sisko devrait bientôt faire de cette question une priorité.

— Allons, O'Brien, murmura-t-il. Envoyez un peu de lumière ici.

La rumeur s'était intensifiée. Les invités invisibles du Quark's ne semblaient guère apprécier eux non plus de se trouver plongés dans les ténèbres. Mieux valait ne pas bouger tant qu'il faisait noir, mais il le devrait si la situation s'éternisait.

Tout se ralluma et Sisko respira mieux. L'obscurité ne l'effrayait pas d'habitude mais, avec tous ces problèmes inexpliqués, il s'inquiétait chaque fois que les lumières s'éteignaient. Tout ce qui manquait à présent c'était que les défaillances n'affectent la station de manière permanente. Kira devait absolument joindre Starfleet au plus tôt. Il avait besoin d'aide ici.

Le commandant regarda autour de lui. Malgré tout ce qui arrivait, il trouvait étrange que la Promenade fût aussi parfaitement déserte. Des voix montaient du Quark's. Il entra.

La fille du Dabo se tenait appuyée contre la table, le regard fixé vers les portes closes, au fond de la salle, d'où provenaient les voix.

— La partie est-elle toujours en cours ? demanda Sisko.

La jeune fille sursauta. Remettant en place sa minuscule robe métallique, elle balbutia d'une voix tremblante :

— Commandant...

Sisko ne se rappelait pas lui avoir déjà adressé la parole. Lors de ses visites au Quark's, il l'avait toujours vue occupée par son rôle de meneuse de jeu, éclatant de rire et criant « Dabo ! » avec les joueurs, à l'unisson.

— Oui... ?

Elle ouvrit la bouche pour parler, puis la referma.

— Il y a une partie de poker, commandant.

— Vous ne m'apprenez rien.

— On ne peut pas entrer.

— Je ne viens pas pour jouer. Je voudrais voir Quark.

— Oh, fit-elle, laissant échapper un rire que Sisko reconnut. Je suis désolée. Je vais le chercher tout de suite.

— Attendez, la pria Sisko, songeant soudain que Quark ne lui serait d'aucun secours. Savez-vous où est Odo ?

— Il est à l'intérieur, répondit-elle en désignant les portes fermées.

— Dites-lui que je veux le voir.

— À vos ordres, commandant ! obtempéra-t-elle.

Les portes s'ouvrirent alors qu'elle allait prendre la direction de l'arrière-salle. Le bourdonnement des conversations qu'il entendait depuis la Promenade s'amplifia et le parfum de roses pourries, mêlé aux effluves de la sueur des Férengis, des odeurs dégagées par des corps humains et des arômes de café Déluvien, lui monta au nez.

Sisko vit, en se retournant, une cinquantaine de personnes, la plupart d'entre elles assises aux tables. Quark se tordait les mains. Une Meepode au teint glauque, source de cette odeur répugnante, était assise dans un coin de la salle. Odo se frayait un chemin vers la porte, serrant avec force le bras d'un humain à la carrure imposante.

Trois membres de l'équipe du docteur Bashir, portant chacun une trousse médicale, bousculèrent Sisko sur leur passage et se dirigèrent au pas de course vers le fond de la salle, où Bashir les attendait.

— Que se passe-t-il, constable ? voulut savoir le commandant quand Odo passa près de lui.

— Nous avons trouvé l'infâme L'sthwan, lui annonça le chef de sécurité. Un ami de Quark, un Férengi, en a presque payé de sa vie.

L'sthwan tenta de se dégager de la poigne de Odo :

— Il n'a absolument pas le droit de m'exclure de la partie, protesta-t-il.

— Odo a tous les droits, répliqua Sisko d'un ton sec. Le Férengi est-il gravement blessé ?

— Bashir assure qu'il vivra.

— C'est dommage, ironisa L'sthwan. Ce petit salaud trichait.

— Il est férengi, fit observer Sisko. Les profits l'intéressent plus que les règlements.

— Et vous, commandant, demanda L'sthwan en souriant, qu'est-ce qui vous intéresse ?

— Débarrasser la station de votre présence.

— Mais vous ne le pouvez pas, n'est-ce pas ? Vous avez des problèmes sur votre station, commandant.

— Quelle perspicacité, se contenta de dire Sisko.

Le type lui déplaisait, il était temps que Odo le mène au corps de garde. Sisko se tourna pour partir.

— La lecture de vos relevés révèle-t-elle la présence d'ondes de solitrium après le passage des fluctuations subspatiales ? demanda L'sthwan.

Sisko s'arrêta et interrogea l'homme du regard. Après chaque perturbation, Dax avait enregistré des ondes de solitrium.

— C'est exact, lui répondit Sisko.

— Les Cavaliers Fantômes traquent leur gibier loin de leur territoire, dit-il, énigmatique.

— Les Cavaliers Fantômes ?

Un sourire se déploya sur le visage de L'sthwan, qui se balança sur ses talons, un sourire que Sisko reconnaissait sans peine : L'sthwan voulait quelque chose.

— Prétendez-vous savoir ce qui cause les problèmes de la station ? demanda Odo.

— Je crois que vous avez besoin de mon aide, commandant, déclara L'sthwan, ignorant le chef de sécurité. Mais les informations que je peux vous fournir ont un prix.

— C'est-à-dire... ? demanda Sisko.

— Me laisser terminer la partie et me donner la permission de conserver mes gains.

— Pas question ! s'exclama Odo. Il assassine tous ceux qu'il soupçonne de tricher.

Sisko plongea son regard dans le sien. Comme le chef de sécurité n'avait pas quitté le Quark's depuis un long moment, il ne pouvait pas se rendre compte de l'importance capitale de ces renseignements.

— Je crois, constable, qu'il vous faudra accepter la situation.

— Vous me laisserez donc continuer la partie ? demanda L'sthwan.

— Seulement si vous m'apprenez ce que j'ai besoin de savoir, dit Sisko.

— Marché conclu ? demanda L'sthwan.

— Vous pourrez conserver vos gains. Vous en aurez besoin pour vous défendre quand vous serez jugé pour le meurtre que vous avez commis ici.

— Très bien, accepta L'sthwan.

— Alors..., dit Sisko en se dirigeant vers une table à laquelle il prit place. (Il fit signe à Odo de laisser L'sthwan s'asseoir.) Dites-moi ce que vous savez sur ces Cavaliers Fantômes.

— Eh bien, commença L'sthwan en se calant dans le fauteuil, comme si Sisko et lui étaient de vieux amis. Je les ai rencontrés pour la première fois à l'autre bout de ce secteur. J'étais à bord d'un cargo qui me ramenait d'un tournoi sur Risa. Le vaisseau avait failli être détruit, après des incidents très analogues à ce qui se passe ici. Le vieux trafiquant qui pilotait le rafiot avait réussi à nous sortir de la zone. Il m'avait ensuite raconté l'histoire des Cavaliers Fantômes.

Odo faisait les cent pas derrière le fauteuil, sans cesser de jeter à Sisko des regards lourds de sous-entendus. Odo réprouvait de toute évidence l'idée de laisser L'sthwan en liberté.

— Continuez, l'encouragea Sisko.

— Le vieil homme disait que les Cavaliers ne pouvaient pas nous voir, parce que leurs vaisseaux, d'un type particulier, opèrent sur un mode légèrement déphasé. Ce sont leurs prototypes de registres de décalage de phase qui occasionnent les violentes distorsions subspatiales. Ils sont à la poursuite d'une créature énergétique qu'ils nomment l'*Espiritu*. La capture d'un de ces êtres, vivant, rapporte gros aux Cavaliers, expliqua L'sthwan avec un sourire. Je me suis beaucoup intéressé à eux. J'aimerais participer à l'une de leurs chasses.

— Ils accepteraient de vous prendre avec eux ? s'étonna Sisko.

— Ils laissent monter n'importe qui, pourvu qu'il y mette le prix. Même vous, commandant.

— Ces renseignements ne vous sont d'aucune utilité, commandant, fit remarquer Odo. Laissez-moi l'emmener au corps de garde. La partie est terminée pour lui.

— Votre histoire ne manque pas d'intérêt, dit Sisko à L'sthwan. Mais vous ne m'avez pas dit comment sauver ma station.

— C'est très simple. Ou bien vous la déplacez, ou bien vous tenez bon jusqu'à ce qu'ils soient passés.

— Je préférerais pouvoir communiquer avec eux, avoua Sisko.

L'sthwan laissa échapper un grand éclat de rire.

— Pouvez-vous transmettre à cette station une vibration d'une longueur d'onde identique à celle du solitrium ? J'en doute. Il vous faudrait encore plus d'énergie que l'*Espiritu* lui-même n'en possède. C'est impossible, commandant. Il vous faut dépêcher quelqu'un sur Risa, où les Cavaliers possèdent un petit quartier général qui leur sert à amasser les fonds nécessaires pour financer leurs chasses. Demandez-leur d'éviter cette zone, bien que cela ne vous servira pas à grand-chose : ils suivent l'*Espiritu* partout où il va.

— Et ils ne peuvent pas nous voir parce qu'ils sont hors de phase ?

— Exactement, trancha L'sthwan, en se levant. La partie va bientôt recommencer. J'aimerais reprendre ma place.

— Je n'en doute pas, assura Sisko. Est-ce tout ce que vous savez sur ces Cavaliers Fantômes ?

— Je peux vous dire où les trouver sur Risa.

Odo s'arrêta de marcher et remit sa main sur le bras de L'sthwan.

— Cela ne m'aiderait pas beaucoup, confessa Sisko, puisque je dois rester ici.

— Peut-être, fit L'sthwan en haussant les épaules. Mais les autres renseignements que je vous ai donnés vous seront précieux, commandant. À présent, si votre larbin peut me conduire à la salle de jeu...

De colère, Odo grandit de quelques centimètres.

— Pas si vite, l'arrêta Sisko. Odo, tâchez d'être aimable avec notre ami L'sthwan quand il sera au corps de garde. Apportez-lui tout ce qu'il désire : cartes, nourriture, tout ce qu'il voudra. Et s'il songeait à nous communiquer des renseignements supplémentaires concernant les Cavaliers Fantômes, faites-moi prévenir.

Odo acquiesça. Son expression demeura la même, mais Sisko put discerner sur ses traits un imperceptible contentement. Le constable effleura son commbadge :

— Primmon. Rejoignez-moi au corps de garde. J'ai trouvé l'invité que vous cherchiez.

— Nous avions conclu un marché ! cria L'sthwan, pendant que Odo le poussait vers la sortie.

Sisko secoua la tête :

— Je ne marchande pas avec les assassins, dit-il d'un ton catégorique.

— Vous aviez dit que je pourrais continuer à jouer.

Sisko fit un large sourire et s'approcha de L'sthwan comme pour lui confier un secret d'une grande importance :

— C'était du bluff.

CHAPITRE 22

Il faisait chaud dans la galerie de service et l'air était chargé d'une odeur de poussière. Jake retint un éternuement quand il s'y introduisit. Une lueur montait des holosuites, où régnait un silence absolu. La grande crainte de Jake, chaque fois qu'il passait près de ce lieu, avait toujours été d'entendre quelque chose qu'il n'avait aucune envie d'entendre.

Nog marchait devant lui, presque debout maintenant qu'ils avaient dépassé les holocabines. Il avait apporté une toute petite lampe de poche, au faisceau étroit, dont il se servait pour éclairer leur chemin.

— Mieux vaut éviter de marcher sur les équipements, avait-il ricané.

Le cœur de Jake battait la chamade. Il aurait dû parler de tout ça à son père. Il le ferait dès qu'ils sortiraient d'ici. Peut-être aurait-il mieux fait de l'accompagner à leurs quartiers et de tout lui raconter.

Nog venait de s'engager dans une direction opposée à celle de l'arrière-salle, sa lampe dans une main et le détecteur de son père dans l'autre. Il croyait connaître l'emplacement de la chambre secrète, mais ne voulait prendre aucun risque ; Jake, lui, trouvait cette nouvelle frasque beaucoup trop hasardeuse.

— Nous y sommes presque, chuinta le jeune Férengi.

Tant mieux, pensa Jake. C'était le deuxième pantalon qu'il salissait dans ces galeries, et cet endroit ne lui plaisait pas du tout, avec le bourdonnement des moteurs en marche et le trop mince revêtement qui servait de plancher, traversé par la clarté fantomatique des salles en-dessous.

Le rayon de la lampe de Nog parvenait à peine à percer les ténèbres. Jake aurait voulu y voir mieux qu'à un mètre devant eux. Qu'arriverait-il si le chef O'Brien n'avait pas encore achevé les travaux dans cette partie de la station ? Et si cette galerie se terminait en cul de sac ?

Toutes les lumières d'en bas s'éteignirent subitement. Jake stoppa net. Il n'apercevait plus que la silhouette de Nog, illuminée par le mince faisceau de la lampe férengi.

— Merde ! Encore une panne, chuchota Nog.

Jake resta sans bouger, pendant que son ami continuait d'avancer, mais la lumière devint de plus en plus faible. Il n'avait pas envie de se retrouver seul dans l'obscurité.

Il se remit en marche, lentement, dans les pas du Férengi. « Fais attention », lui dit-il, plus pour lui-même que pour Nog. Si l'un d'eux perdait pied, il dégringolerait à travers le plafond jusque dans les salles en bas. Au mieux, ils se retrouveraient dans une situation embarrassante ; au pire, ils se blesseraient.

— Je sais ce que je fais, l'U-Main, répliqua Nog.

Il se tourna vers Jake, pour souligner son assertion d'un sourire entendu.

Ce léger mouvement suffit à le déséquilibrer. Ses bras battirent l'air, le faisceau de la lampe balaya les murs, le plancher, la galerie et le plafond.

Jake lui attrapa le bras et réussit à retenir son ami. Nog fit un pas en arrière pour tenter de se remettre debout, mais on entendit un craquement. Nog bascula davantage. Son pied avait traversé le plancher ou, plus précisément, le plafond de la pièce en-dessous.

— Que se passe-t-il ? cria une voix affolée.

— J'ai reçu quelque chose sur la tête, fit une autre.

En s'enfonçant, Nog entraîna son ami avec lui, et Jake dut s'arc-bouter contre la galerie. Il avait l'impression d'être suspendu au bord d'une falaise. Le bras gauche de Nog vola au-dessus de sa tête et la lampe éclaira un pan de mur, tout au fond de la galerie ; de sa main droite, il saisit le maillot de Jake.

Ce fut au tour de l'autre jambe de Nog de s'enliser dans le plancher. Jake le retint de toutes ses forces.

— Le plafond va s'écrouler ! hurla quelqu'un.

— Sortons d'ici !

— C'est peut-être pire dehors.

— Nous ne pouvons pas laisser l'équipement sans surveillance !

— Tiens bon ! siffla Jake entre les dents.

— C'est ce que je fais, répondit Nog.

Les lumières se rallumèrent. Jake vit le torse de Nog illuminé par la clarté qui venait d'en bas. Ses jambes pendaient dans le plafond et ses hanches étaient emprisonnées dans le revêtement du plancher. À présent qu'il pouvait constater le problème, Jake était en mesure d'y remédier. Il prit appui contre la galerie et tira de toutes ses forces. Nog fut extirpé du trou comme une saucisse à hot-dog de son pain, et il parvint à ramper sur le sol. Les deux garçons plongèrent le regard dans la salle, en bas.

Huit visages férengis étaient levés vers eux. Ils avaient presque tous les sourcils froncés et le crâne recouvert de poussière et de morceaux du plafond.

— Fichons le camp d'ici, murmura Nog.

Pas besoin de le dire deux fois. Jake fut debout en moins de deux et se mit à courir en retenant son souffle. Ils entendirent les cris des Férengis, puis une dispute éclater sur le meilleur moyen d'atteindre le plafond.

Dans le resserrement du passage de la galerie, Jake se jeta à genoux. Une cuisante douleur faillit lui arracher un cri. Je vais avoir des marques, pensa-t-il. Il rampa le plus vite qu'il put jusqu'à la sortie, suivi de près par Nog, qui respirait bruyamment.

Le panneau d'accès apparut devant lui. Il le poussa de toutes ses forces et en sortit avec agilité. Nog, à sa suite, s'élança hors de l'ouverture, replié en boule, et roula sur le plancher comme un ballon.

Jake referma la trappe et reprit sa course, s'attendant d'un moment à l'autre à entendre gronder derrière lui lè martèlement cadencé d'une armée à ses trousses.

CHAPITRE 23

Kira avait tapé la moitié d'un message destiné à Starfleet, quand un bruit strident qui monta du panneau de communications lui indiqua que le canal subspatial de longue portée restait inutilisable. O'Brien ayant réussi à remettre en marche l'ordinateur de sa console, elle préférait travailler à son poste habituel, mais elle ne connaissait rien de plus frustrant que des équipements qui se détraquaient à tout moment.

Sans qu'elle puisse voir la fin de ce cauchemar.

Elle n'avait presque rien avalé depuis le début de la crise, se contentant d'un peu d'eau et de quelques biscuits. Kira était au-delà de la fatigue, et seule l'adrénaline lui permettait de poursuivre sa tâche, comme à l'époque où elle combattait l'ennemi cardassien sur Bajor.

Dormir signifiait alors manquer à la surveillance, et cela pouvait leur coûter la vie.

Kira ressentait la même chose en ce moment. Ils avaient eu de la chance. Le champ de force du réacteur avait tenu le coup et les systèmes environnementaux n'avaient flanché que périodiquement, même si leurs défaillances répétées rendaient la situation pénible. Un froid de canard balayait Ops et chacun de ses mouvements lui coûtait un frisson.

Mieux valait ce froid que la chaleur, qui l'aurait endormie. Il lui fallait absolument rester éveillée.

— Les quais d'amarrage quatre et cinq ont été remis en service par l'équipe d'ingénierie, annonça O'Brien. Les vaisseaux qui y sont stationnés ne bougeront plus.

— Le sas du quai seize va s'ouvrir, signala à son tour Carter.

— Je suis sûre que le Férengi qui était coincé là respire mieux, dit Kira.

L'arrivée du turbolift détourna son attention. Sisko était de retour — sans être passé par ses quartiers, semblait-il : son uniforme était tout aussi fripé que tantôt et, à cette distance, sa barbe pas rasée pouvait laisser croire qu'il était blessé. Chose étrange, il semblait cependant avoir plus d'énergie qu'à son départ de la salle des commandes.

— Nous ne pensions pas que vous alliez revenir si tôt, dit Kira.

— Commandant, s'étonna O'Brien, avec une espèce de sourire en coin. Vous aviez parlé de prendre une douche...

— Plus tard, répondit négligemment Sisko, qui gagna d'un pas empressé le poste scientifique. Quelqu'un ici a-t-il déjà entendu parler des Cavaliers Fantômes ?

— Des ondes de solitrium ! s'exclama O'Brien, comme si tout s'était soudain éclairé. Pourquoi n'y ai-je pas pensé plus tôt ?

— Vous voulez dire que vous savez ce qui se passe ? demanda Kira en se penchant sur sa console.

— Ça se pourrait, répondit O'Brien. Dax, je prends votre place à la console scientifique.

— Allez-y, dit l'officier en se levant. Qui sont ces Cavaliers Fantômes, Benjamin ?

— Vous avez déjà entendu parler d'eux, chef ? demanda Sisko.

— Une fois, sur l'*Entreprise*, quelqu'un a fait allusion à eux, expliqua-t-il, laissant courir ses doigts au-dessus de la console. Voyons si je peux trouver des renseignements à leur sujet.

— Pendant qu'il cherche, dit Kira au commandant, en se balançant sur ses talons pour contenir sa frustration, vous pouvez peut-être nous apprendre ce que vous savez.

— Pas grand-chose, en fait, répondit le commandant. Au Quark's, Odo a arrêté un individu qui prétendait que les problèmes de la station sont causés par les Cavaliers Fantômes. Comme il essayait de négocier pour éviter d'être emprisonné et que son histoire était difficile à croire, j'ai cru qu'il l'avait peut-être inventée.

— Ça m'étonnerait, commandant, dit O'Brien. Donnez-moi seulement quelques minutes.

Ils ne disposaient pas de ce temps. Pas maintenant, si près du but. L'épuisement que Kira avait réussi à tenir en échec menaçait de l'envoyer au tapis.

— Mais qui sont-ils ? redemanda Kira d'un ton courroucé.

— Mon informateur prétend qu'ils sont à la poursuite de ce qu'il nomme des « créatures énergétiques ».

— Des créatures énergétiques ? répéta Dax.

— Les *Espiritus* ? prononça Kira en prenant appui contre son poste. Ils chassent les *Espiritus* ?

— Vous les connaissez, major ? demanda Sisko en se retournant.

— Évidemment, répondit Kira. Tous les Bajorans en ont entendu parler dans leur enfance. Je devais avoir environ cinq ans quand ils ont été découverts dans le secteur. (Elle passa la main dans sa courte chevelure.) Ce sont des créatures douces et inoffensives. J'ai peine à croire qu'on puisse en faire la chasse.

— Mes senseurs n'indiquent aucune trace de cette forme de vie, fit observer Dax, dont les mains volaient sur le clavier de la console scientifique.

— Elles n'en laissent aucune, lui apprit Kira. Elles vivent dans une dimension déphasée par rapport à la nôtre. Elles peuvent traverser à peu près n'importe quelle matière, sans qu'on puisse les sentir ni les voir.

Elle soupira. Elle s'était passionnée pour les *Espiritus*. Enfant, elle aussi aurait voulu être invisible et passer à travers les objets ; et lorsqu'elle s'était engagée dans la résistance bajoranne pour lutter contre les Cardassiens, elle avait souhaité trouver un moyen d'imiter ces créatures, pour pouvoir soustraire Bajor de l'emprise des Cardassiens.

— Ça y est, dit O'Brien. Les Cavaliers Fantômes voyagent en formation réduite, utilisant des vaisseaux de la taille d'un runabout, à pilotage individuel. Ils sillonnent l'espace par petits groupes, comme des hordes d'animaux sauvages. Ils semblent n'avoir jamais croisé dans le secteur, mais la Fédération les recherche, en vertu d'une longue liste d'inculpations. On leur a donné le nom de Cavaliers Fantômes parce que leurs vaisseaux évoluent dans une phase légèrement décalée par rapport à l'espace normal. Les Romulans ont utilisé la même technologie pour essayer de perfectionner un dispositif d'invisibilité et c'est à eux que les Cavaliers Fantômes l'ont subtilisé.

Les dernières paroles de O'Brien tirèrent Kira de sa rêverie.

— Mais pourquoi ? demanda-t-elle. J'ai entendu parler de ce dispositif. Il n'a jamais marché.

— Et pourtant, nota Sisko, les Cavaliers Fantômes s'en servent.

— Il ne peut pas servir aux Romulans, commandant, expliqua O'Brien. Les problèmes qu'il occasionne sont trop nombreux. Quand un vaisseau est hors de phase — ce qui lui permet de se rendre invisible — il ne peut plus savoir où il se trouve dans l'espace réel, c'est là le défaut majeur.

— Ce qui les oblige à piloter à l'aveugle, déduisit Sisko. C'est ce que font les Cavaliers Fantômes ?

— Pas vraiment, répondit O'Brien.

Tout s'expliquait maintenant, pour Kira. Les Cavaliers Fantômes avait trouvé un moyen de se mettre en phase avec l'*Espiritu*, ce qui leur permettait de voir l'extraordinaire spectacle de leurs pulsations incandescentes, dont elle avait déjà entendu parler. Et ils essayaient de le capturer. Elle serra les poings. Ils étaient pareils aux Cardassiens. Ils avaient découvert quelque chose de beau, et ne songeaient qu'à le détruire.

— Notre dimension n'intéresse pas les Cavaliers Fantômes. Tout ce qu'ils veulent, c'est traquer l'*Espiritu*, et ils peuvent le suivre très facilement dans cet espace déphasé.

— Et les ondes de solitrium ? demanda Dax.

O'Brien s'écarta de la console scientifique et retourna à la sienne, tout en expliquant :

— Maintenir le vaisseau hors de phase crée une perturbation dans l'espace normal qui les entoure. C'était un autre problème pour les Romulans. Les vaisseaux ne devenaient pas vraiment invisibles, puisqu'on pouvait les repérer à cause des distorsions spatiales qu'ils laissaient derrière eux, les ondes de solitrium, entre autres.

Dax reprit sa place à la console scientifique, mais garda les yeux rivés sur O'Brien.

— Tous nos problèmes sont donc dus aux effets secondaires causés par les vaisseaux des Cavaliers Fantômes, résuma-t-elle.

— Il semble bien que oui, dit Sisko.

— Je n'en suis pas si sûr, commandant, signala O'Brien. Nous ne savons pas ce qu'ils font à ces créatures énergétiques.

— Je suis persuadée qu'ils les tuent, affirma Kira.

Écraser toute liberté. Pour la seule raison que ces créatures étaient belles. Ce genre d'injustice la mettait en furie.

— Peut-être, dit Dax. Mais pourquoi ?

— Mon informateur a mentionné que les *Espiritus* rapportent beaucoup d'argent lorsqu'ils sont capturés vivants.

— Vivants ? se surprit O'Brien. Dans ce cas, se pourrait-il que les créatures blessées perdent leur énergie ?

Dax concentra de nouveau son attention sur sa console.

— Les ondes de solitrium s'amplifient, signala-t-elle. Est-ce que...

La station fut ébranlée. Kira courut vers le poste d'ingénierie alors que les lumières se mettaient à vaciller. Les voyants d'urgence inondèrent le tableau. Les systèmes environnementaux cessèrent de fonctionner. Le souffle d'air froid qui lui glaçait le dos se dissipa. Sisko chancela et se retint au rebord de la console scientifique.

— Les contrôles atmosphériques sont hors d'usage sur le quai cinq, annonça Kira.

— Toutes les portes des quartiers de résidence du niveau six sont bloquées, dit Dax.

— Les synthétiseurs de la Promenade ne fonctionnent plus, informa Carter.

— Le réacteur fonctionne à cent cinquante pour cent au-dessus de sa capacité, avisa O'Brien.

— Le système ne pourra pas tenir ! rugit Sisko en frappant son commbadge. Monsieur Teppo, désactivez immédiatement le réacteur.

Kira porta son attention sur ce dernier. Un voyant rouge clignotait autour de son icône sur le tableau.

— Une minute avant la désintégration du noyau, fit la voix de l'ordinateur.

— Je tente de la désactiver à partir d'ici, dit O'Brien au commandant. (Il manœuvra en hâte quelques commandes.) Je ne parviens pas à atteindre le réacteur, dit-il.

— Commandant, fit la voix de Teppo à travers le communicateur, le champ de force faiblit.

Le tremblement cessa.

— Les ondes de solitrium régressent, dit Dax.

Les voyants rouges autour du réacteur s'éteignirent.

— Les niveaux d'énergie du réacteur continuent de fluctuer, indiqua O'Brien, qui fit une pause avant de continuer. Il semble désormais se maintenir autour de cinquante pour cent de sa capacité.

— Quelle est la situation du champ de force, monsieur Teppo ? demanda Sisko.

— Je ne décèle aucun dommage sérieux, répondit l'enseigne. Mais j'effectue immédiatement un diagnostic sommaire.

Kira repoussa ses cheveux vers l'arrière :

— Commandant, la technologie cardassienne est extrêmement capricieuse. Si nous ne trouvons pas le moyen de stabiliser le réacteur, il peut exploser à n'importe quel moment.

— Il n'explosera pas avant de s'être maintenu à soixante-quinze pour cent au-dessus de sa capacité durant trente secondes, précisa O'Brien d'un ton brusque.

— Ce qui pourrait très bien arriver la prochaine fois que nous serons atteints, conjectura Sisko. Chef, je veux une vérification supplémentaire des champs de force. Voyez aussi ce que vous pouvez faire pour éteindre le réacteur sur avis immédiat.

O'Brien approuva d'un signe de tête. Kira posa les mains au creux de ses reins et s'étira. Il leur fallait trouver une solution sans tarder. Elle avait déjà assisté aux ravages causés par l'explosion d'un réacteur cardassien, plusieurs années auparavant. Vingt kilomètres carrés de terrain avaient été pulvérisés, en même temps que le centre de recherche militaire qui abritait le réacteur. Ce n'était pas beau à voir.

Elle inspira profondément et reporta son attention sur sa console. Elle remit en service les systèmes environnementaux de l'anneau d'amarrage, puis s'occupa des portes. Le problème semblait trop important pour être résolu à partir de Ops.

— Benjamin, dit Dax, la voix traversée par un léger filet de panique. Le vaisseau cardassien est sur le point de se disloquer.

Kira retourna aux communications.

— Les Cardassiens se plaignent d'être attaqués, et Litna ne leur répond pas. Impossible de communiquer avec aucun d'entre eux.

— Le rayon tracteur est-il toujours fonctionnel ? demanda Sisko à O'Brien.

— Négatif, commandant, répondit O'Brien, qui se démenait sur sa console. Je vais voir ce que je peux faire.

— Nous devons aider les Cardassiens, Benjamin, rappela Dax. Ils sont en danger.

Les doigts de Kira ralentirent leur course sur le panneau. Il était de son devoir de sauver des vies, mais c'était plus difficile dans le cas de vies cardassiennes.

— Combien d'occupants à bord ? demanda Sisko à Kira.

— Trop pour les transborder, même si le téléporteur fonctionnait correctement, répondit-elle.

— Chef, verrouillez le plus de membres d'équipage possible.

— C'est ce que j'essaie de faire, commandant, mais il y a trop d'interférences.

— Nous n'avons plus le temps, Benjamin. Leur vaisseau est sur le point d'être détruit.

— Deux navettes viennent de quitter leur navire, dit Kira. Ils doivent en posséder au moins cinq autres, sur un appareil de cette taille.

— Souhaitons qu'ils réussissent, murmura Sisko. Nous ne pouvons plus rien pour eux.

— Les cinq autres navettes viennent de décoller, annonça O'Brien.

— Le vaisseau est perdu, dit Dax. Il se désintègre.

Un voyant clignota sur la console de communication.

— Une transmission du capitaine Litna, dit Kira. Elle proteste contre l'attaque des Cardassiens et nous remercie d'avoir détruit le vaisseau ennemi. Des réparations l'obligent à regagner Bajor, mais elle annonce qu'elle reviendra.

— Sur écran, ordonna Sisko en descendant les marches qui conduisaient jusqu'au pupitre d'opération.

Kira secoua la tête.

— Elle a bloqué toute possibilité de communication, commandant. Elle voulait simplement nous faire connaître sa position. Une des navettes cardassiennes tente également de nous joindre.

— Et eux, major, pouvons-nous les avoir à l'écran ?

Kira n'apprécia guère son humour. Elle ouvrit le canal et Gul Danar apparut, son affreux visage de Cardassien couvert de suie.

— Cette attaque viole les termes de notre traité, commandant Sisko. Nous reviendrons.

Et son image disparut aussitôt, avant que Sisko ait pu dire un mot.

— Contactez-les de nouveau, demanda-t-il.

— J'essaie, commandant, dit Kira. Mais ils ne répondent pas.

— Il préfère croire que nous l'attaquons, dénonça O'Brien.

— Dommage que ce ne soit pas le cas, osa dire Kira.

— De son point de vue, c'est déjà fait, fit observer Sisko, sans cesser de fixer l'écran vide.

— Que veux-tu dire, Benjamin ? demanda Dax en faisant pivoter son fauteuil.

— Mais voyons, Dax, pensez-y. La station n'a subi aucun dommage. Tout comme le runabout bajoran qui revient sur Bajor, après nous avoir transmis un message de félicitations qui n'avait pas été brouillé, j'en suis certain.

Kira secoua la tête. Non, le message n'avait pas été brouillé. Les Cardassiens avaient pu l'intercepter. Malgré les frissons qui la parcouraient, des gouttes de sueur perlèrent sur son visage. Elle regretta les paroles qui lui avaient échappé.

— Les Cardassiens sont persuadés que c'est nous qui avons détruit leurs vaisseaux, Dax.

Kira essuya son visage. Elle tremblait.

— La vengeance est chère au cœur des Cardassiens, commandant, dit-elle d'une voix qui paraissait plus calme que Kira ne l'était en réalité. Ils reviendront, accompagnés de leur flotte.

— Même en parfait état de fonctionnement, la station ne peut pas soutenir une attaque d'un vaisseau de guerre cardassien, rappela O'Brien.

— Je le sais très bien, lui répondit Sisko en hochant la tête.

Kira le regarda en plissant les yeux. Le commandant savait peut-être ce que c'était que de se trouver en état d'infériorité, mais pas sous une attaque ou la domination des Cardassiens.

C'était une expérience qu'elle ne souhaitait pas revivre.

CHAPITRE 24

Quark vit l'équipe médicale franchir les portes au pas de course. Un jeune enseigne féminin, qu'il reluquait depuis quelques jours, en faisait partie. La femme se fraya un chemin jusqu'au milieu de la salle, parmi les joueurs consternés, suivie par un Vulcain d'âge moyen et un humain ayant deux fois l'âge de Bashir. Ils firent cercle autour Nam, qui laissait échapper des gargouillements étranges, étendu sur le sol. Bashir était à ses côtés, les mains couvertes du sang du Férengi. Depuis la tentative de meurtre, le médecin ne ménageait aucun effort pour alléger les souffrances de Nam, dont il avait déchiré la chemise pour panser ses blessures, sur lesquelles il avait maintenu une pression constante en attendant l'arrivée des secours.

Quark ne voulait plus les voir ici. Son tournoi virait au fiasco. Il ne voulait même pas regarder l'équipe qui s'activait au chevet de Nam. Il entendit bien les signaux sonores des appareils médicaux, et entrevit vaguement quelques éclairs lumineux. Mais il mit du temps avant de s'approcher, en s'ouvrant un chemin dans la foule compacte. La plupart des spectateurs contemplaient la scène comme hypnotisés — les humains figés dans une expression de dégoût et les Romulans avec des visages qui avaient tourné au vert.

— Pardon, chuinta Quark à l'adresse de Bashir. Vous êtes vraiment obligés de faire ça ici ?

Bashir ne leva même pas les yeux. Il manipulait au-dessus des blessures de Nam un appareil qui ressemblait à un stylo, deux fois plus petit qu'un fuseur.

— Nous sommes en train de le stabiliser. Laissez-nous un peu de temps, Quark, et nous allons débarrasser le plancher.

Un peu de temps, c'était trop long. Quark croisa les bras et promena son regard sur les joueurs. Rasmussen ramassait les cartes abandonnées sur la table et les examinait. Sarlak, derrière son fauteuil, observait le travail de Bashir. Etana, une frêle jeune femme qui faisait office d'agent militaire pour les Ktarans, comptait les chips sur sa table, pendant que le Bajoran Pera la surveillait à distance. Quark aussi, mais elle n'en prit pas un seul.

L'équipe médicale glissa enfin Nam sur la civière et souleva celle-ci pour emmener le blessé. La foule s'écarta pour laisser l'équipe sortir de la salle, Bashir toujours penché sur la victime.

Quark vint près de pousser un soupir de soulagement en les regardant s'éloigner, mais il se retint.

Mieux valait faire oublier au plus vite cet incident aux joueurs. Tirant vers lui le fauteuil le plus proche, il y grimpa.

— Je crois que le moment est bien choisi pour faire une première pause, dit-il de son ton le plus gai. S'il vous plaît, veuillez tous rendre vos cartes aux donneurs et utiliser la pochette qu'il vous remettra pour couvrir vos chips.

— Mais j'avais enfin une bonne main ! pesta le Grabanster.

— Ouais, et moi j'allais lessiver tout le monde ! affirma Davidovich.

Quark leva les bras :

— Croyez-vous qu'on puisse poursuivre cette main maintenant que tout le monde a pu voir les cartes des autres ? Une pause est nécessaire. Mon frère s'occupera de vous apporter à boire et à manger. Et n'oubliez pas que la partie recommence dans trente minutes, que vous ayez regagné vos places ou non.

Il se retrouva face à face avec Rom quand il descendit du fauteuil.

— Pourquoi restes-tu planté là ? demanda Quark. Apporte-leur de la nourriture.

Rom jeta un coup d'œil dans la direction où Nam avait été emmené :

— Mais...

— Plus tard. Allez, ouste ! dit-il en poussant son frère vers les portes.

Rom ne prenait jamais le temps de réfléchir. Il aurait voulu discuter de cette affaire devant tous les joueurs. Un contretemps de plus — dont Quark n'avait nul besoin.

Les joueurs s'approchèrent du buffet dressé près des portes. La plupart des plats étaient entamés, mais il en restait suffisamment pour que chacun trouve quelque chose à se mettre sous la dent en attendant le retour de Rom.

Quark examina les tables. Il devait s'occuper des chips de certains joueurs, mettre de côté ceux de Bashir au cas où il reviendrait, et reprendre ceux de Nam, qui lui appartenaient. Il lui fallait également décider de ce qu'il ferait des jetons de Klar... ou plutôt de L'sthwan.

Quark sortit de sa poche un tabulateur et s'assit à la place de Nam. En voyant ses maigres piles de jetons, Quark se dit qu'il ferait bien de s'assurer les services de joueurs expérimentés la prochaine fois qu'il ferait appel à des taupes. Nam n'avait pas été capable de s'en tirer, à cause du système de communication, trop intermittent.

— La partie est passionnante, fit une voix aux inflexions graves derrière lui.

Quark leva les yeux et aperçut Garak, le Cardassien, debout à ses côtés.

— Pas besoin de me le dire, répliqua Quark.

— N'ayez crainte, mon intention n'était pas de vous morigéner parce que vous n'avez pas su régler le problème de tricherie tantôt, se moqua Garak avec ce faux sourire que Quark détestait, accroché aux lèvres. Il s'agissait d'un problème de différence entre les espèces, je crois. Les Férengis ont un concept de l'honneur bien particulier.

— Nous savons ce qu'est l'honneur, protesta Quark.

— Je n'en doute pas, assura Garak. Vous vous en faites simplement une idée différente des autres espèces. Je ne crois pas qu'un Férengi pourrait se fâcher au point de tuer si quelqu'un essayait de le flouer.

— Quand le Grand Nagus a perdu son bâton de commandement aux mains d'un espion romulan qui avait triché..., commença Quark, qui s'arrêta en s'apercevant qu'il mordait à l'hameçon tendu par le Cardassien. Laissez-moi tranquille, Garak. J'ai du travail.

— Toutes mes excuses, fit le couturier. J'essayais simplement de soulager votre conscience.

— Je serai soulagé quand j'aurai compté ces chips !

Garak fit un bref salut et s'éloigna vers l'autre bout de la salle. Une odeur de rosbif en ragoût parvint jusqu'aux narines de Quark et lui souleva le cœur, avant que le parfum vinaigré de bananes frites marinées dans un vin Ulien ne vienne en couvrir l'infect parfum. Les plats étaient servis ; Rom s'était exécuté avec diligence.

Quark compta les chips : moins que la moitié du tapis. C'était tout de même mieux que rien, les frais engagés pour l'achat des moniteurs se trouveraient amortis, au cas où l'autre taupe perdrait tout. Quark fit glisser les jetons dans une pochette.

Il se rendit ensuite à la place de Klar. Harding, qui occupait le fauteuil voisin, le considéra avec attention.

— Qu'est-ce que vous regardez ? demanda le Férengi.

— Je me demandais simplement, marmonna Harding, les dents serrées sur son cigare pas allumé, si vous alliez nous rendre une certaine part de nos droits d'entrée. Ce n'est pas exactement le tournoi de niveau professionnel que vous nous aviez promis.

— Je n'ai jamais promis une partie de tout repos, répliqua Quark.

Il fit rapidement le décompte des jetons. Klar avait gagné. C'était dommage qu'un si bon joueur fit appel à la violence pour répondre à la tricherie. Il n'avait de toute évidence jamais entendu dire que, dans les affaires comme au jeu, tout est permis. De toute façon, cela n'avait pas d'importance. Klar n'aurait pas besoin de cet argent en prison. Ce coquet supplément contribuerait à renflouer les pertes du Quark's.

Quark commençait à remplir la pochette, quand Harding saisit son poignet :

— Férengi, dit-il d'un ton froid, tu nous avais promis de gros profits. Avec ces chips en moins, nos chances diminuent.

— Nous en reparlerons si vous tenez le coup jusqu'à la fin de la partie, lui répondit Quark.

Il avait vu Harding jouer et savait que l'humain ne se rendrait pas au bout.

Quark se leva et se dirigea vers la première table, celle de Odo. La Sligiloïde s'empressa de lui livrer passage. Quark jeta un regard vers le tapis de feutre vert. Il ne restait à B'Etor, assise au bout, qu'une poignée de chips, et Xator, lui, n'en avait presque plus. Quant à la Sligiloïde, elle ne possédait plus que la moitié de son tapis. Trois fauteuils étaient vides — Quark se souvint du moment où les joueurs avaient quitté la table — et c'était Etana qui avait amassé les gains les plus importants. Un sourire anima ses traits félins et délicats lorsqu'elle vit Quark en train d'examiner les chips restants.

— Votre constable a causé toute une surprise, lui apprit-elle. Nous ne savions jamais comment il allait jouer.

— Je n'ai aucune difficulté à le croire, répondit Quark, en se laissant tomber dans le fauteuil.

Odo avait un surplus d'au moins cinquante barres de latinum endoré devant sa place. Il devait y avoir erreur. Les chips étaient tout simplement mal empilés.

Il compta les jetons. Odo avait gagné. Gros.

— Ce n'est pas possible, murmura-t-il.

— Vous êtes surpris ? dit Etana. Son style de bluff est très personnel. Et déroutant.

— Vous ne comprenez pas, reprit Quark. Il a appris à jouer hier soir.

— C'est ce qu'il disait aussi, se souvint-elle en éclatant de rire. Mais personne ne peut jouer comme ça après une seule nuit de pratique. La chance du débutant est un mythe.

Quark regarda les chips. Odo s'en était vraiment bien tiré. Trop beau pour être vrai. S'il fallait en croire les autres joueurs, Odo était une espèce de génie au poker. Et il travaille pour moi, pensa Quark, découvrant un large sourire. Peut-être la chance tourne-t-elle enfin, se dit-il. Si je pouvais seulement le convaincre de rester à la table...

— Qu'est-ce qui vous fait sourire ? demanda la voix de Odo derrière lui.

Allons-y doucement, se dit Quark. Il ne faut pas qu'il sache que je veux qu'il continue la partie.

— Que faites-vous ici ? Vous deviez prendre soin d'un prisonnier, il me semble.

— Maintenant qu'il est à l'ombre, il ne me reste plus grand-chose à faire. Primmon veillera à ce que L'sthwan soit nourri. Un de mes assistants s'occupe de lui également.

— Est-ce que... ne vaudrait-il pas mieux que vous restiez là-bas ? Après tout, c'est *vous* l'expert...

— Expert ? À aider les prisonniers à tuer le temps ? essaya de deviner Odo en posant les mains sur le dossier du fauteuil. C'est vous qui m'avez demandé de participer à ce tournoi, Quark. Il me semble que je devrais finir mon travail.

La main de Quark se serra sur la pochette. Ce n'était pas le moment de lâcher :

— Votre zèle vous honore, constable, mais ce n'est vraiment pas nécessaire. Vous avez capturé le meurtrier. Votre travail est fait, allégua-t-il de son air le plus sincère.

— Je le croyais, lui confia Odo, hochant la tête. Mais j'ai croisé la Meepode dans le hall, qui m'a dit craindre que Davidovich ne la tue.

— Quelle absurdité ! s'exclama Quark, sur le point d'exploser.

— Je me suis également entretenu avec deux Romulans qui étaient persuadés que Nam a été attaqué par erreur, et que les Klingons ne sont ici que pour assassiner systématiquement tous les Romulans qui participent au tournoi.

— Je n'ai jamais rien entendu d'aussi ridicule.

— Lursa et B'Etor m'ont également fait part de leurs inquiétudes concernant les terroristes bajorans. Elles ont peur à cause d'une récente trahison envers un Bajoran et...

— Assez ! s'écria Quark en posant sa main libre sur son oreille.

— J'ai donc réfléchi à tout ça, dit Odo. (Discrètement, Quark poussa un soupir.) Et je me suis souvenu d'une chose que vous avez dite, et que le docteur Bashir semblait croire lui aussi.

— Bashir ? fit Quark en écho, et il enroula l'ouverture de la pochette, qu'il soupesait toujours, autour de sa main. Nous ne sommes jamais d'accord.

— Pas cette fois, déclara Odo, les traits de son visage à moitié fini figés dans une expression sévère. Vous avez dit que le poker était un jeu pour les tricheurs et les menteurs. Le docteur Bashir, lui, disait qu'il serait surpris s'il ne se trouvait qu'un seul meurtrier dans la salle. Puisque je ne peux rien faire pour les problèmes de la station, je peux au moins garder un œil sur les dégénérés que vous avez invités à ce grand tournoi.

— Vraiment, constable, insista Quark, secouant la tête. Ne prenez pas cette peine. S'il survient le moindre problème, vous ne serez pas très loin...

Le Férengi ne se tenait plus de joie ; il avait les mains toutes moites.

— Oh, allons. Laissez-le jouer, intercéda Etana. Il a payé son entrée, non ? Je me sentirais beaucoup plus en sécurité avec lui ici.

Ceux qui avaient entendu ses paroles l'approuvèrent d'un hochement de tête.

Quark aurait juré qu'un sourire avait retroussé les lèvres du chef de sécurité.

— Voilà qui est parlé, dit Odo. J'ai payé mes droits d'entrée.

— Vous avez retiré assez de jetons comme ça ! cria Harding de sa table.

— Je vous avoue, monsieur Quark, déclara Cynthia Jones, depuis l'embrasure de la porte, que je préférerais me retirer de la partie si je dois constamment veiller à défendre ma vie. Monsieur Odo se chargera de nous protéger.

— Ouais, marmonna Quark. Comme tout à l'heure.

Odo fronça les sourcils. Le sourire de Quark s'effaça.

— Tout à l'heure, presque personne ne connaissait sa véritable identité, fit remarquer Sarlak, le Vulcain. Maintenant que les joueurs sont au courant de la présence d'un représentant de la loi parmi nous, ils agiront en conséquence.

— Cela me semble diablement logique, conclut Harding.

— En effet, l'approuva Etana en lui adressant un sourire. L'assassin n'était-il pas un de vos amis, monsieur Harding. ?

L'humain se racla la gorge et mordit son cigare.

— Vous allez rester, n'est-ce pas, monsieur Odo ? demanda Cynthia Jones.

En regardant sa robe qui moulait ses formes si généreuses, Quark souhaita que la partie fût terminée, pour pouvoir rester seul en sa compagnie.

— Je crois que vous serez obligé de supporter ma présence jusqu'à la fin de ce tournoi, Quark, dit Odo.

Quark marmonna un juron férengi, que Odo ne put entendre. Il jubilait tout en essayant de chiffrer ses profits.

Et ce n'était pas juste une question d'argent. Non seulement amasserait-il une somme rondelette, mais il aurait également réussi à rire à la barbe de son vieil ennemi. Plus jamais Odo n'oserait le regarder en face.

CHAPITRE 25

Sisko se gratta la joue. Sa barbe était un peu longue. Il avait les doigts glacés. Le froid qui régnait sur Ops le transperçait jusqu'aux os. Il regarda autour de lui. O'Brien restait penché sur sa console comme pour éviter de regarder le maître écran à présent éteint. Carter était pâle. De ses grands yeux bleus qui trahissaient son effarement, Dax continuait de fixer Sisko. Kira avait reculé d'un pas et le commandant pouvait lire sur son visage le souvenir des années d'oppression par les Cardassiens. Sa suggestion de les attaquer manquait de professionnalisme, mais on pouvait la comprendre. Les Cardassiens avaient été ses ennemis pendant des décennies.

D'ailleurs, si Sisko ne faisait pas très vite quelque chose, ils pouvaient très bien le redevenir. Il prit une grande respiration.

— Kira, tentez de joindre Gul Danar jusqu'à ce que vous ayez établi la communication.

— Bien, commandant, répondit-elle.

— Nous avons de la difficulté à garder le rayon tracteur verrouillé sur les débris du vaisseau cardassien, indiqua O'Brien.

— Aucun débris ne se dirige vers la station, précisa Dax.

— Ça ne fait rien, dit Sisko. Il ne faut pas que ces morceaux épars dérivent dans l'espace pendant les turbulences que nous connaissons. Poursuivez les manœuvres, Dax.

Sisko leva les yeux vers le maître écran, dont la forme en amande rappelait nettement son origine cardassienne, aussi bien que le reste de la station, et si l'équipage de Deep Space Neuf devait combattre leur flotte, les inconvénients seraient nombreux.

— O'Brien, je veux en savoir plus au sujet de cette technologie romulanne.

— Nous y avons été confrontés peu avant mon transfert ici, dit O'Brien. Nous tentions de venir en aide à un vaisseau romulan en difficulté quand deux membres de notre équipage ont disparu. Nous avions d'abord cru que leur mort était due à une défaillance du système de téléportation mais, en fait, ils s'étaient retrouvés dans une autre phase. Il y avait cependant une différence, commandant. Ils pouvaient nous voir tandis que nous ne le pouvions pas. D'après ce que nous savons, les Cavaliers Fantômes, eux, ne peuvent pas nous voir.

— Finalement, comment aviez-vous réussi à les ramener ? demanda Kira, qui avait repris son poste à sa console. (Malgré sa fatigue, elle paraissait intéressée.)

— Au moyen d'un faisceau anionique, dit O'Brien en passant la main dans ses cheveux bouclés. C'est ainsi que nous avons pu les ramener dans notre dimension.

Sisko sentit un léger pincement au cœur. Se pouvait-il que la solution soit si simple ?

— Dans ce cas, nous devrions peut-être tenter d'utiliser un faisceau anionique contre eux, chef.

— Je n'en suis pas sûre, Benjamin, dit Dax. Si le faisceau parvenait effectivement à amener les Cavaliers Fantômes dans notre espace, peut-être en serait-il de même de l'*Espiritu*. Or, nous ne savons pas si ces créatures énergétiques peuvent survivre ici ni si elles ne nous ne causeraient pas de problèmes pires encore.

Sisko l'approuva d'un signe de la tête. Ces créatures autour de la station étaient bien la dernière chose dont ils avaient besoin, surtout avec ces Cardassiens en colère qui les menaçaient.

— Chef, où se trouve le vaisseau du capitaine Litna en ce moment ?

— Il est en sécurité dans l'espace bajoran et devrait bientôt atterrir sur Bajor, répondit Carter.

— Si les Cardassiens reviennent, elle reviendra elle aussi, dit Kira.

Sisko s'appuya sur le pupitre des opérations, surpris d'être aussi soulagé d'apprendre que le capitaine Litna s'était éloignée de la station, pour le moment en tout cas. Il en avait bien assez sur les bras comme ça. Un souci de moins lui donnait l'impression d'avoir perdu dix kilos.

— Il me semble que le problème avec les Cavaliers se situe au plan des communications, Benjamin, dit Dax.

Il la regarda. Elle avait fait pivoter son fauteuil de manière à lui faire face. Ses paroles ramenèrent Sisko à la réalité. Ils avaient peut-être un problème en moins — pour l'instant — mais les autres étaient toujours là.

Dax tenait ses mains serrées contre elle. Ses jointures étaient blanches.

— Si nous parvenons à les informer des dégâts qu'ils causent ici, peut-être s'en iront-ils.

— Ils ne valent pas mieux que des pirates, dit Kira en s'éloignant de sa console. Ils se fichent complètement des dommages qu'ils causent.

— Mais nous possédons une monnaie d'échange, que nous pourrions utiliser au besoin, dit Sisko en se levant. Chef, n'avez-vous pas mentionné qu'ils sont recherchés par la Fédération ? Nous pourrions leur dire qu'ils se trouvent dans un secteur sous la juridiction de la Fédération et leur demander de partir, sous peine d'être mis en état d'arrestation.

— Nous ne pouvons pas les laisser partir ! dit Kira. Ils tuent des *Espiritus* !

— Nous n'en savons rien, major.

Ce problème était de trop pour Sisko. Il s'occuperait des *Espiritus* plus tard, une fois qu'il aurait assuré la survie de la station — et du traité de paix.

— Je crois que nous possédons certains éléments de preuve, dit Kira. Lorsqu'un *Espiritu* meurt, sa désintégration crée des secousses dans l'espace. C'est de cette façon qu'ils ont été découverts. Nous avons subi de nombreuses turbulences, commandant. Cela signifie certainement que l'*Espiritu* est en train de mourir.

— Peut-être s'agit-il aussi d'une défaillance de la technologie romulanne, dit Sisko, regrettant de ne pas pouvoir se payer le luxe de tant d'impétuosité. Ne sautons pas trop vite aux conclusions, major.

Il gravit les marches qui menaient à la console scientifique, où Dax avait commandé un dossier traitant de la technologie des Romulans.

— Dax, croyez-vous qu'il soit possible d'envoyer un message aux Cavaliers ?

— J'en doute, répondit-elle en secouant la tête. Non seulement elle fait perdre la possibilité de s'orienter dans l'espace réel, mais cette technologie rend impossibles les communications entre des vaisseaux hors de phase et des vaisseaux en phase.

— Nous l'avons expérimenté sur l'*Entreprise*, commandant, dit O'Brien. Ils pouvaient nous entendre, mais nous pas. Et si la situation est encore plus complexe ici et que les Cavaliers ne peuvent pas nous voir, ils ne peuvent certainement pas nous entendre.

— Mais les Cavaliers entrent et sortent de phase pour chasser l'*Espiritu*, insista Sisko. Ils sont un groupe de vaisseaux, et cela veut donc dire qu'ils peuvent communiquer les uns avec les autres même lorsqu'ils sont déphasés par rapport à nous.

— Qu'essayez-vous de nous expliquer, commandant ? demanda Kira, appuyée sur la console de communication, les sourcils froncés.

— Simplement que nous pourrions atteindre leur espace afin de communiquer avec eux. Cela est-il possible, O'Brien ?

— Je pense que oui, commandant. Sortir de phase est un processus relativement simple. Je peux convertir un runabout.

— Combien de temps cela prendrait-il ?

— Deux heures, peut-être trois. Mais il y aura des problèmes.

— Les expériences des Romulans, expliqua Dax, montrent que le passage dans une autre phase produit des perturbations encore plus violentes que celles que nous traversons présentement.

— C'est un risque que nous devrons courir, dit Sisko.

Les lumières clignotèrent et Dax se tourna en vitesse face à sa console :

— Cramponnez-vous ! cria-t-elle.

Pas encore ! Sisko raffolait des montagnes russes quand il était enfant, mais à présent, la situation commençait à l'exaspérer. Il s'agrippa à la console durant la secousse.

— Les niveaux d'énergie du réacteur montent, dit O'Brien, un brin de panique dans la voix.

Les lumières s'éteignirent complètement sur Ops et l'éclairage auxiliaire ne se mit pas en marche.

— Niveaux d'énergie à cent vingt-cinq pour cent.

— Réduisez-les, monsieur O'Brien ! ordonna Sisko.

Dax avait rappelé le réacteur sur sa console. Sisko pouvait voir le voyant d'urgence rouge clignoter dans l'obscurité presque totale.

— Je fais de mon mieux, commandant.

— Niveaux d'énergie à cent cinquante pour cent. (Même la voix de Dax avait perdu son calme habituel.)

— Chef, fit la voix de Teppo sur Ops. Le réacteur commence à vibrer. Je crois qu'il va sauter...

— Non ! il ne sautera pas ! répliqua O'Brien.

Sisko se pencha sur le pupitre des opérations. Tous les voyants d'urgence clignotaient, mais celui du réacteur avait un compte à rebours.

Les lumières papillotèrent, puis se rallumèrent. O'Brien, le visage rouge et couvert de sueur, faisait voler ses doigts au-dessus de son tableau de commande.

— Les niveaux d'énergie du réacteur fluctuent, annonça la voix de Teppo dans l'intercom.

— Allons, murmura O'Brien. Tiens bon.

Sisko se mordit la lèvre. Il détestait ce genre de situation. Il avait des connaissances en ingénierie suffisantes pour être conscient du danger, mais insuffisantes pour être d'une aide quelconque.

— Ça y est ! dit O'Brien.

— Réacteur à vingt-cinq pour cent, dit Dax.

— C'est beaucoup trop bas, dit Kira.

— Cela vaut mieux que trop haut, dit O'Brien.

Les lumières s'éteignirent de nouveau. Cette fois, Ops fut plongé dans l'obscurité totale et les lumières de secours ne s'allumèrent pas davantage que quelques minutes auparavant.

— Kira, dit Sisko. Essayez de trouver ce qui ne va pas avec les systèmes auxiliaires.

Il réfléchit avant de donner l'ordre suivant. Il pouvait demander à O'Brien de se concentrer sur le réacteur ou de s'occuper du runabout. Ce dernier choix semblait le bon. Plus vite ils entreraient en contact avec les Cavaliers Fantômes, plus vite la sécurité de la station serait assurée.

— O'Brien, il faut commencer à travailler sur le runabout pour...

— J'y vais immédiatement, répondit l'ingénieur.

On entendit le bruit de ses pas sur le sol, puis un bruit sourd, suivi d'un fracas métallique.

— Aie ! Espèce de... résonna la voix de O'Brien dans les ténèbres.

— Chef, vous pouvez attendre que la lumière soit revenue, dit Sisko.

— Merci, commandant, répliqua celui-ci.

CHAPITRE 26

Jake courait comme un fou dans le couloir, priant le ciel que les lumières ne s'éteignent pas. De temps à autre, il jetait un œil derrière lui. Nog le suivait, la bouche ouverte et la langue pendante. Jake courut tant qu'il put, jusqu'à ce qu'un lancinant point de côté l'oblige à s'arrêter.

Il appuya la main contre une porte — ils avaient abouti dans les quartiers de résidence des visiteurs — et tenta de reprendre son souffle. Mais Nog fonça sur lui et ils roulèrent par terre. Le coude de Jake rencontra le menton de Nog, ce qui leur arracha un cri de douleur à tous les deux.

Ils se dégagèrent l'un de l'autre et restèrent étendus, haletants.

— Tu crois... qu'ils nous... ont vus ? demanda Jake.

Chaque mot lui arrachait un effort. Il n'avait jamais été si essoufflé, et il ne se rappelait pas avoir déjà couru si vite ni si longtemps. Même à l'époque où il s'entraînait avec son père.

— Même s'ils nous ont vus..., commença Nog, avant de faire une longue pause, jusqu'à ce que sa respiration ait ralenti. (Il se redressa sur un coude et se massa le menton de l'autre main.) Même s'ils nous ont vus, répéta-t-il, d'une voix plus normale, ils ne le diront pas. Ils trichent. Il n'y a qu'à mon oncle Quark qu'ils pourraient le dire, et ils ne le feront pas durant la partie.

— Et quand la partie sera finie ? demanda Jake, qui avait lui aussi repris son souffle.

— Ça n'aura plus d'importance à ce moment-là, surtout si mon oncle gagne, dit-il en souriant. Ils sont probablement en train de tout déménager en ce moment.

— Pourquoi ? dit Jake en s'assoyant, encore étourdi et ne reconnaissant pas le couloir dans lequel ils se trouvaient.

— Parce qu'ils craignent sûrement que nous prévenions quelqu'un qui irait vérifier. (Nog tira le détecteur de sa poche et l'activa.)

— Peut-être que c'est ce que nous devrions faire, suggéra Jake.

— Hé ! Jette un coup d'œil là-dessus, dit Nog en brandissant l'appareil sous le nez de Jake. Le deuxième signal fonctionne toujours.

Jake regarda le signal rouge qui clignotait. Il ne voulait plus entendre parler de détecteur ni de tricherie. Cette fois, ils avaient bien failli se faire attraper.

— Et alors ?

— C'est tout près d'ici, dit Nog en se levant. Viens.

— Nog, voulut le mettre en garde Jake, mais le Férengi ne s'arrêta pas.

Jake poussa un soupir et se remit debout. Il était temps de faire cesser tout ça. Et de mettre son père au courant.

Nog disparut au bout du couloir. Jake pressa le pas pour le rattraper. Il retiendrait son ami de force et lui ôterait le détecteur, puis ils iraient ensemble voir le père de Jake. Lui saurait quoi faire.

Nog avait déjà dépassé un turbolift desservant le corridor, les yeux toujours rivés sur son appareil, quand il s'arrêta devant une porte, semblable à toutes les autres. Le bruit du signal sonore du senseur semblait décuplé dans le couloir vide.

— C'est d'ici que viennent les signaux, dit Nog.

Jake courut jusqu'à son ami, lui arracha le détecteur des mains et l'éteignit.

— Nog, tout le monde peut entendre !

La porte s'ouvrit et Krax, le fils du Nagus, fut devant eux. Il était petit, même pour un Férengi, mais son expression était menaçante. Derrière lui, un paravent cachait ce qui se passait à l'intérieur. Il se dégageait du local une légère odeur d'équipement électronique chauffé.

— Que se passe-t-il ? demanda Krax d'un ton brusque.

Jake regarda Nog, qui regarda derrière lui. Tous deux savaient qu'ils avaient maintenant des ennuis plus graves encore que tantôt.

— Désolé, dit Jake. On pensait que ces salles étaient vides. On venait pour étudier.

— Étudier ! fit Krax en regardant Nog, et pas Jake. Je croyais que tu avais laissé tomber ces habitudes d'U-main, mon vieux !

Nog réfléchit rapidement :

— C'est vrai. J'allais lui apprendre la première des Règles d'Acquisition. (Il arracha le détecteur des mains de Jake.) Une fois que tu as l'argent, il ne faut jamais le rendre !

Il partit en courant. Jake comprit aussitôt le jeu de Nog.

— Hé ! cria-t-il. C'est à moi !

Puis il se mit à la poursuite de Nog. Il était loin d'être prêt pour une nouvelle course mais préféra ne pas y penser. Deux groupes de Férengis après eux auraient été vraiment trop.

Nog grimpa une volée de marches à toute vitesse et Jake ne tarda pas à le rejoindre. Ce n'est qu'une fois en haut, hors d'haleine, qu'ils s'arrêtèrent et regardèrent derrière eux. Personne ne les avait suivis.

— Ils trichent tous les deux ! dit Nog.

— Ils ont chacun leurs senseurs. Ça cause sûrement un tas de problèmes, dit Jake en s'essuyant le front. (Il faisait chaud dans le couloir.) Je ne peux pas tenir cette affaire secrète plus longtemps, Nog.

— Que veux-tu dire ? demanda le jeune Férengi en remettant l'appareil dans sa poche.

Jake se mordit la lèvre. Il espérait qu'il n'allait pas perdre son ami à cause de cette histoire.

— Je dois prévenir mon père de ce qui se passe. Ce matériel est peut-être la cause des pannes de courant.

Nog pencha la tête en arrière. Il n'avait pas l'air fâché.

— Tu crois vraiment que nous devrions tout dire ?

Jake fit signe que oui. Il appréciait que Nog ait utilisé le mot « nous ». Jake se redressa :

— Absolument, dit-il. Mon père doit être sur Ops à présent. J'y vais. Tu viens avec moi ?

Nog secoua la tête :

— Je préfère ne pas m'en mêler.

Jake soupira. Il aurait préféré que Nog l'accompagne, mais cela n'avait pas vraiment d'importance, pourvu qu'il ne lui en veuille pas.

— D'accord. Je te verrai plus tard.

Il descendit le couloir, sentant le regard de Nog vissé sur lui. Il avait atteint le turbolift quand il entendit Nog l'appeler.

— Hé, Jake ?

Jake s'arrêta et se retourna. Nog attendait au bas des escaliers.

— Quoi ?

— Tu crois que je devrais le dire à mon père moi aussi ?

— Je crois qu'il est déjà au courant.

— Oui, mais pas pour le Nagus.

Les tricheries entre Férengis ne lui importaient guère. Il voulait simplement que tous ces équipements clandestins cessent de fonctionner.

— Tu as raison, dit-il. Il n'est probablement pas au courant pour le Nagus.

Nog hocha la tête.

— Et tu crois que je devrais le prévenir ?

— C'est à toi de décider. (Il ne comprenait pas très bien toutes les subtilités de l'éthique férengi et ne voulait pas donner de mauvais conseils à Nog.) Je vais sur Ops. Je te verrai plus tard.

— Ouais. Nous nous reparlerons quand j'aurai vu mon père.

CHAPITRE 27

Il y avait maintenant une heure que la console de communication ne fonctionnait plus quand Kira sortit d'en-dessous. Elle avait tout de même réussi à rétablir les relais, et les voyants sur son tableau indiquaient de nouveau la localisation des défaillances — ce qui représentait déjà une amélioration. Mais pour réparer la console elle-même, elle aurait eu besoin de l'aide d'un technicien expérimenté — et tout de suite.

De son côté, O'Brien travaillait sur les quais d'amarrage depuis deux bonnes heures, pendant lesquelles l'enseigne Teppo avait déployé tous les efforts imaginables pour contenir les fluctuations du réacteur. Deux autres assistants du chef ingénieur avaient réussi à débloquer et à réparer deux turbolifts. Une porte de sas restait coincée, mais ce n'était pas une priorité, puisque personne ne se trouvait enfermé à l'intérieur.

Kira repoussa les cheveux qui lui tombaient sur la joue. Par chance, les contrôles environnementaux s'étaient remis en marche ; c'était son travail, et non pas la chaleur excessive, qui la faisait transpirer.

Dax elle-même commençait à laisser paraître un peu de fatigue.

Kira retira une poussière qui s'était logée dans son œil et fronça les sourcils. Jake était assis dans les marches près du pupitre des opérations, son père à côté de lui. Sisko n'avait manifestement pas eu le temps de passer par ses quartiers. Sa barbe était encore plus dense. Le commandant et son fils s'entretenaient à voix basse depuis une quinzaine de minutes. Jake était arrivé dans tous ses états, mais il semblait avoir repris son calme à présent.

— Benjamin, appela Dax en faisant pivoter son fauteuil vers Sisko. (Une trace de saleté lui barrait la joue et ses yeux étaient creusés de cernes profonds. Elle n'avait pas dormi depuis plus longtemps que tous les membres de l'équipage.) Cinq vaisseaux de guerre cardassiens viennent de sortir de distorsion. Ils sont en formation d'attaque.

— Cinq vaisseaux ? Et sans aucun avertissement ?

Sisko se leva d'un bond tandis que, d'instinct, Jake s'écarta de son chemin et se dirigea vers le bureau de son père.

— Kira, demanda le commandant. Avez-vous réussi à joindre Starfleet ?

— Négatif, commandant. Je n'ai pourtant pas cessé de leur transmettre des messages depuis le début de cette affaire.

— Commandant ! s'exclama Dax. Les capteurs signalent également l'arrivée d'une flotte de petits vaisseaux en provenance de Bajor. C'est le capitaine Litna, commandant — la voilà de retour.

— Commandant, dit Kira, l'œil sur son tableau. Elle ne dispose que d'une poignée de runabouts rafistolés. Ils n'arriveront jamais à tenir tête aux Cardassiens.

— Formidable, dit Sisko. Kira, demandez à Litna de laisser tomber. Nous allons nous en charger.

— Je ferai de mon mieux, dit Kira, mais je la connais. Elle n'en restera pas là.

— Dans ce cas, la randonnée risque d'être rude, dit Sisko en frappant son commbadge. Chef, il nous faut ce runabout.

— Encore quinze minutes et nous serons prêts, commandant, répondit l'ingénieur.

— Nous en avons besoin *immédiatement*, monsieur O'Brien.

— Permettez-moi de piloter l'appareil, commandant, demanda Kira. Le temps de rejoindre les quais d'amarrage et le runabout sera paré à décoller.

Sisko la regarda d'un air soucieux.

— Il vous faudra user de diplomatie, major.

— Je suis capable de diplomatie ! rétorqua-t-elle.

— Benjamin, je crois que les Cardassiens attendent une réaction de notre part, signala Dax.

Les vaisseaux des Cardassiens remplissaient sinistrement le maître écran, laissant peser une menace qui glaçait le sang de Kira.

— La réaction viendra bientôt, Dax, dit Sisko qui se rendit auprès de Kira en quelques enjambées. (Ses joues étaient creuses et il avait les yeux rougis par la fatigue. La tension nerveuse finissait par saper les forces de chacun.) Kira, les longs discours concernant l'éthique ou la moralité sont inutiles. Dites simplement aux Cavaliers qu'ils doivent dévier de leur route, en échange de quoi nous n'essaierons pas de les arrêter et nous n'informerons Starfleet de leur présence qu'une fois qu'ils seront loin. Vous en tiendrez-vous à cela ?

— Ils tuent les *Espiritus*.

— S'ils ne bougent pas, ils seront peut-être la cause d'une guerre entre la Fédération et les Cardassiens. C'est un risque que nous ne pouvons pas prendre.

Le point de vue qu'il défendait leur assurait tous la vie sauve ; le sien n'aurait fait que rendre la situation plus difficile. Kira en était consciente.

— D'accord, dit-elle. De la diplomatie avant tout. Mais nous n'accordons peut-être pas le même sens à ce mot.

— Au fond, il se pourrait bien que oui, dit le commandant.

Ce fut au tour de Kira de sourire.

— Une transmission des Cardassiens, Benjamin, annonça Dax.

— Sur écran, ordonna Sisko. Allez-y, chuchota-t-il à Kira.

Elle acquiesça d'un signe de la tête et courut jusqu'au turbolift. Derrière elle, elle entendit la voix de Gul Danar :

— Je vous avais pourtant prévenu, Sisko. Vous avez détruit un de nos vaisseaux. Votre conduite est intolérable.

— Nous n'avons pas détruit votre vaisseau, dit Sisko.

Kira hésita un moment et tendit l'oreille.

— Si ce n'était pas vous, alors il s'agit d'un acte perpétré par les terroristes bajorans.

— Donnez-nous une heure et je vous fournirai la preuve que nous ne sommes pas responsables.

— Je vous accorde quinze minutes, concéda-t-il à Sisko avec un air méprisant, puis il coupa la transmission.

Sisko abattit son poing sur le pupitre.

— O'Brien ?

— Oui, commandant ? répondit aussitôt le chef ingénieur.

— J'ai besoin de votre avis. Que se passera-t-il quand le runabout changera de phase à proximité des vaisseaux cardassiens ?

L'hésitation de O'Brien créa une tension que Kira put presque palper.

— Je ne suis pas sûr, finit-il par dire, mais il pourrait se produire une décharge d'énergie directionnelle et si le mouvement est orienté vers eux, ils seront peut-être un peu plus secoués que nous l'avons été. Mais, je le répète, peut-être que ça n'arrivera pas.

— Je vous remercie, dit Sisko. Assurez-vous que tout se passe bien.

— Tout va bien se passer, commandant.

Kira déglutit avec difficulté. Personne n'avait mentionné que multiplier l'effet représentait un danger supplémentaire pour la station. Tous le savaient mais il s'agissait d'un risque qu'ils devaient courir.

Sisko se tourna vers Kira :

— Vous avez entendu ?

Elle hocha la tête et monta dans l'ascenseur.

Quand Ops eut disparu, elle frappa son commbadge.

— O'Brien, je suis en route. Je viens de quitter Ops. Le runabout doit être paré à mon arrivée.

— Bien, major, obtempéra O'Brien, un brin de sarcasme dans la voix.

Il n'aimait pas tellement Kira. Mais rien ne l'y obligeait, au fond. Ils avaient un travail à faire, c'est tout.

Elle descendit du turbolift le cœur battant à tout rompre et courut jusqu'aux quais de service. Enfin une chance de faire quelque chose de concret. De poser un geste qui pouvait faire la différence. Elle piloterait le runabout hors de phase en plein sous leur nez. Si elle pouvait ensuite obtenir une réponse des Cavaliers, c'en serait fini des problèmes de la station et les Cardassiens se retireraient. Du moins l'espérait-elle. Elle ne voulait plus entendre parler d'eux.

O'Brien se trouvait dans la section avant du runabout. Il referma un panneau de la console de navigation.

— Juste à temps, major, dit-il.

— J'espère que tout est prêt, dit Kira en se glissant dans le fauteuil adjacent, auquel elle s'attacha.

— Autant que faire se peut, tout est en ordre, dit O'Brien. (Il se pencha et désigna un nouveau panneau sur la console.) Voici la modification que nous avons effectuée. Elle permet de changer de phase à volonté, mais allez-y mollo. Je n'ai pas eu le temps de mesurer la résistance de la coque de ce vieux rafiot. De mon côté, ajouta-t-il en ricanant, j'aurai déjà de la chance si j'arrive à contenir le réacteur.

— Je ne changerai de phase que deux fois, dit Kira. À mon départ et à mon retour.

— O'Brien ? Kira ? appela Sisko dans l'intercom. Le temps presse. Vous êtes prêts ?

— Tout est prêt, commandant, assura O'Brien.

Il salua Kira. Bien sûr, ils ne s'entendaient pas toujours tous les deux, mais elle sentit chez lui une soudaine affection pour elle — et c'était exactement ce dont elle avait besoin à ce moment précis.

— Bonne chance, major, lui souhaita O'Brien en quittant précipitamment le runabout. Il manœuvra la commande qui permettait au plancher du quai de service de se hausser jusqu'à la rampe de lancement.

Kira attendit d'avoir entendu la porte se refermer avant de communiquer avec Sisko.

— Je changerai de phase juste devant eux.

— Ne vous approchez pas trop, dit Sisko. Tout ce qu'ils veulent, c'est tirer d'abord et poser les questions ensuite.

— Les Cardassiens ne procèdent jamais autrement, confirma Kira.

— Bonne chance, dit Sisko.

— À vous aussi, dit-elle en faisant glisser le runabout de la plate-forme.

La silhouette grise, en forme de lance, des cinq navires cardassiens lui faisait maintenant face. Elle avait combattu toute sa vie pour vivre un moment comme celui-ci et, à présent, tout ce qu'elle ressentait, c'était l'envie de vomir. Elle inspira profondément et concentra toutes ces années de haine et de colère sur les vaisseaux qui se trouvaient devant elle.

Avec des mouvements précis, elle pointa le nez de l'appareil vers le centre du vaisseau amiral cardassien — un navire de guerre de classe Galor, pareil à celui qui avait été détruit quelques heures plus tôt — et elle accéléra.

Les secondes d'attente furent interminables, elle semblèrent remplir l'espace de toute une vie, pendant que l'accélération du runabout augmentait.

Et elle attendit un instant de plus, pour être certaine.

D'un mouvement vif, elle sortit le runabout de phase.

Elle éprouva une sorte de déception. Elle ne put rien voir, sauf l'effet produit sur les vaisseaux cardassiens. La riposte n'avait pas dû tarder, et DS9 devait déjà en être la cible.

Le runabout cahota et fut secoué comme le hochet d'un monstrueux poupon. Les systèmes environnementaux lâchèrent et le voyant des moteurs d'impulsion indiquait une tension proche du point de rupture.

Un froid glacial envahit aussitôt la cabine.

Elle réduisit la poussée des réacteurs, sans toutefois les stopper complètement, de crainte de mettre les systèmes hors d'état. Puis elle força rapidement les systèmes environnementaux à fonctionner de nouveau.

L'air se réchauffa. Kira entendit les craquements de la coque et le vaisseau fut ébranlé. Elle ne pouvait absolument rien voir par la lunette du cockpit.

Tenir bon, c'est tout ce qu'elle pouvait faire.

Aussi soudainement, les secousses cessèrent.

Après avoir stabilisé le runabout, elle prit une grande respiration. Si seulement elle avait pu voir l'expression sur le visage de Gul Danar avant de disparaître... Si seulement...

Mais cette pensée se dissipa.

L'espace parut s'aplanir, et ce qui ressemblait à un horizon se dessina. Des bandes de couleurs chatoyantes l'enveloppèrent, rouge écarlate un moment, puis virant au vert, avant de rougeoyer de nouveau, puis de devenir violet et jaune ensuite. Un arc-en-ciel incessant.

Une force, une énergie, semblait habiter chaque parcelle du tissu de l'espace, même si les senseurs n'indiquaient que le vide autour.

Sauf juste devant elle.

Ce qui paraissait être, un instant, un tunnel et, celui d'après, une boule flamboyante aux ondulations multicolores, lui barrait la route. Toutes les couleurs du spectre, du rouge au bleu, nacraient tour à tour sa surface, puis scintillaient comme un amas d'étoiles. C'était d'une beauté à couper le souffle.

Et elle le reconnut aussitôt.

Une créature énergétique.

L'*Espiritu*.

Vers lequel son accélération la projetait tout droit.

D'un geste vigoureux, elle fit dévier le runabout de sa course pour éviter la collision.

Un mouvement attira soudainement son attention. Du brouillard multicolore, dans l'espace distorsionné, émergèrent subitement cinq vaisseaux, qui paraissaient tous être des versions trafiquées de navires de contrebande et qui portaient chacun un emblème propre.

Comme une horde unie, ils poursuivaient la créature.

Les Cavaliers Fantômes !

L'*Espiritu* tenta de leur échapper — et se retrouva directement dans la trajectoire du runabout.

— Non ! hurla-t-elle.

Les cinq vaisseaux ouvrirent le feu en même temps.

CHAPITRE 28

Sisko arpentait la passerelle, sans quitter des yeux le maître écran où les vaisseaux cardassiens étaient en formation d'attaque. Le minuscule runabout où se trouvait Kira leur ferait le même effet agaçant qu'une mouche.

O'Brien descendit du turbolift et se hâta de gagner son poste.

Kira se dirigea vers le vaisseau de guerre de classe Galor situé au centre de la formation et accéléra.

— Ils ont baissé leurs boucliers, Benjamin, dit Dax. Les senseurs signalent qu'ils s'apprêtent à ouvrir le feu. Ils croient que Kira va les attaquer.

— Ils n'ont pas tout à fait tort, fit remarquer Sisko. Gardons nos boucliers en position et attendons.

Vas-y, Kira. Vas-y.

— Activez le déphaseur *maintenant*, major, dit O'Brien en fixant l'écran, comme si Kira avait pu entendre ce qu'il disait.

Sisko l'aurait espéré aussi. Si elle n'agissait pas à temps, les Cardassiens réduiraient le runabout en pièces.

L'appareil disparut.

— Cramponnez-vous ! cria Dax.

La passerelle tangua dangereusement, comme si la station allait basculer sens dessus dessous.

Sisko atterrit violemment contre le pupitre des opérations, qu'il heurta de dos, le souffle coupé. Il leva les yeux et aperçut Jake, livide, se s'agripper à la porte de son bureau.

Puis les lumières s'éteignirent.

Les sirènes se mirent à hurler.

— Systèmes environnementaux hors d'usage sur toute la station, cria Carter au-dessus du bruit strident. Dommages à la structure des bras d'amarrage et perte d'intégrité de la coque en trois endroits, tous situés sur les quais de ravitaillement. Aucune perte de vie détectée jusqu'à maintenant.

Sisko se releva et vit clignoter des voyants d'urgence sur toute la surface de sa console. Cette fois, seul l'éclairage du plafond avait flanché.

— Noyau du réacteur à cent cinquante-cinq pour cent de la normale, en ascension, annonça O'Brien d'une voix trop calme.

— Presque tous les ordinateurs sont hors d'usage, dit Dax. Les systèmes de communications ont tous lâché. La plupart des senseurs également.

— Réacteur à cent soixante pour cent.

— Monsieur O'Brien, faites quelque chose ! ordonna Sisko.

— Réacteur à cent soixante-dix pour cent, continua l'ingénieur. Je crois qu'il va lâcher, commandant.

— Non, il ne lâchera pas, affirma Sisko. S'il le faut, éteignez-le complètement et...

— Activez le champ de refroidissement ! dit O'Brien. (Il fallut un instant à Sisko pour réaliser que l'ingénieur s'adressait au communicateur.) Immédiatement !

La station était secouée en tous sens. Personne ne disait mot mais la tension était telle qu'on aurait cru que tous criaient en même temps.

— Champ de refroidissement activé, indiqua doucement la voix de Teppo dans le communicateur. Mais ça ne tiendra pas longtemps, chef.

— Il faut que ça tienne, dit O'Brien.

— Le réacteur se stabilise à cent soixante-dix pour cent, dit Dax. Pour l'instant, il semble tenir le coup.

— Quelques instants, c'est tout ce qu'il nous faut, dit Sisko. Occupons-nous de remettre l'éclairage et les systèmes environnementaux en marche. Rien de cassé, Jake ?

Le silence qui suivit sa question fit bondir son cœur dans sa poitrine et l'image de son fils inconscient gisant auprès de sa mère morte, sur le *Saratoga*, lui revint en mémoire.

— Ça va, papa.

Sisko échappa un soupir qu'il avait retenu sans s'en rendre compte.

— Reste où tu es, Jake, et ne bouge pas. Dax, activez les senseurs. Il faut que je sache ce qui se passe.

— Les lumières reviennent, dit O'Brien, une fraction de seconde avant qu'elles ne se rallument en clignotant. Sisko balaya rapidement Ops du regard. Carter avait le sourcil droit entaillé et une traînée de sang coulait de sa joue jusque sur son uniforme, mais elle demeurait à son poste. O'Brien semblait bien s'en tirer. Jake avait gardé la même position, arc-bouté contre la porte. La peur qui marquait son visage reflétait celle qui avait traversé Sisko un instant plus tôt.

— Tiens bon, Jake. Ce sera bientôt fini.

Jake fit signe qu'il avait compris mais son expression resta figée. Physiquement, il n'était pas blessé ; c'était ses nerfs qui en avaient pris un coup, mais Sisko s'en occuperait tout à l'heure.

— Le champ de refroidissement s'est rompu, les informa Teppo par l'intercom.

— Les niveaux du réacteur descendent, dit O'Brien, fronçant les sourcils au-dessus de sa console. Ils sont à présent à vingt pour cent. (Il se redressa et s'essuya le visage du revers de la main.) J'arriverai assez facilement à faire remonter le réacteur à un niveau plus acceptable, mais j'ignore s'il pourra supporter ces montagnes russes encore longtemps, commandant.

Sisko hocha la tête. Lui-même ne savait pas combien de temps son équipage pourrait endurer ce manège.

Dax se pencha sur sa console, quelques mèches s'étaient défaites de sa queue de cheval.

— Sur écran, Benjamin.

Sisko se retourna et resta bouche bée devant le spectacle des cinq vaisseaux de guerre cardassiens éparpillés comme des jouets brisés. Aucune trace du runabout de Kira.

— Ça alors ! Quel désastre ! Elle ne les a pas manqués ! s'exclama O'Brien.

Kira a fait ça toute seule ? Simplement en changeant de phase ? Si les Romulans s'étaient rendu compte des capacités de leur dispositif de dissimulation, ils auraient eu une arme de plus dans leur arsenal.

— Systèmes environnementaux en fonction, dit O'Brien. Des équipes ont été dépêchées pour colmater les brèches de la coque.

— J'espère que Kira s'en est bien tirée, souhaita Sisko.

— Elle a dû atteindre l'autre côté avant les effets du contrecoup, dit Dax.

Les vaisseaux cardassiens demeuraient mollement suspendus dans les ténèbres sidérales.

— Leurs systèmes environnementaux fonctionnent-ils encore ? demanda Sisko.

— Oui, mais à peine, répondit Dax. Ils semblent tous les cinq recourir à des dispositifs d'urgence.

— Dax, combien de temps faut-il pour prendre contact avec eux afin de leur offrir notre aide ?

— Je ne sais pas, Benjamin. Les communications étaient déjà gravement endommagées, le changement de phase n'a fait qu'empirer les choses. Cela prendra du temps.

— Imaginez qu'elle ait dirigé le runabout vers nous, observa O'Brien, toujours tourné vers le maître écran. Les dégâts sont énormes, et elle était plus près d'eux que de nous.

Sisko frissonna et jeta un coup d'œil en direction de Jake. Il savait à quoi pouvait ressembler le pire.

— Commandant, je reçois un message du capitaine Litna, glissa Dax.

— Et que raconte ce gentil capitaine ?

— Elle dit : « J'ignore ce que vous êtes en train de faire, mais ça me plaît beaucoup ».

— Comment ses vaisseaux s'en tirent-ils ?

— Je vérifie, dit le lieutenant dont les mains voltigèrent au-dessus de la console. Ils ont été un peu secoués, mais demeurent fonctionnels. Les ondes de solitrium affectent moins les réacteurs de la Fédération.

— Tant mieux. Demandez-lui de ne pas bouger, nous en aurons bientôt fini avec tout ça.

Du moins l'espérait-il.

— Combien de temps faudra-t-il aux Cardassiens pour réparer leurs vaisseaux ? demanda Sisko.

Dax haussa les épaules :

— Impossible de savoir lesquels de leurs systèmes sont encore opérationnels, répondit-elle.

— Espérons que leurs communications ne le sont pas, dit Carter. Nous ne voudrions pas voir leur flotte se pointer ici.

— La flotte viendra de toute façon, enseigne, dit Sisko en soupirant. Dès que l'équipage se rendra compte que la communication avec leurs vaisseaux est coupée. Souhaitons seulement que Kira réussisse avant.

— Que se passera-t-il à son retour ? demanda Carter.

— Peut-être que ce sera mieux, conjectura O'Brien en haussant les épaules. Et peut-être que ce sera pire.

— Et nous n'y pouvons absolument rien, dit Dax.

O'Brien resta songeur :

— Je n’en suis pas si sûr.

CHAPITRE 29

La créature énergétique frappa le vaisseau de Kira en même temps que les tirs des Cavaliers Fantômes l'atteignait.

Le runabout vira sur son aile et tourna sur lui-même. Des morceaux du revêtement intérieur se détachèrent et furent projetés en tous sens, trop vite pour que Kira puisse les voir et se prémunir. Un objet pointu lui heurta la tête. Les lanières de sa ceinture lui lacéraient la poitrine et le ventre. Luttant contre la douleur qui avait explosé dans son crâne, elle tenta de stabiliser l'appareil.

L'alarme retentit, pâle écho de celle de la station. Elle avait entendu tellement de sirènes ces derniers jours qu'elle ne s'en souciait plus.

Un chatoiement de rouge foncé enveloppait tout. La lumière de la créature avait envahi le vaisseau. Kira réussit finalement à redresser le runabout, mais ses mains tremblaient.

Le rougeoiement s'évanouit pour laisser place à la blancheur de la peau de la créature, d'où toute couleur comme toute pulsation avait disparu. Sa splendeur n'était plus.

La douleur à la tête s'intensifia. Elle avait enfin vu un *Espiritu*, et elle l'avait tué.

Elle détourna les yeux.

Des voyants d'urgence clignotaient partout sur le tableau de bord. Les systèmes de survie fonctionnaient, tout comme les contrôles environnementaux. Les moteurs d'impulsion étaient cependant hors d'usage. Quant aux moteurs de distorsion, ils semblaient à peine opérationnels. Tous les systèmes de défense avaient flanché et les boucliers déflecteurs avaient été endommagés. Un petit nuage de fumée monta de la console comme la colère des systèmes éteints.

Formidable, se dit-elle. Je suis là pour affronter les Cavaliers Fantômes et me voilà sans ressources.

Elle ne pouvait rien faire.

Sauf tenter un bluff.

Elle était bajoranne, et les siens savaient comment réagir dans l'adversité.

Les cinq vaisseaux de Cavaliers Fantômes s'étaient déployés autour d'elle. Il lui fallut un certain temps avant de s'apercevoir qu'un des clignotants indiquait une transmission et non un problème. Elle éteignit les sirènes d'alarme, puis répondit.

L'écran s'alluma, laissant apparaître un humain d'âge moyen à la peau parcheminée et aux yeux si sombres qu'ils semblaient noirs. Une cicatrice zébrait une de ses joues. « Je m'adresse au runabout de la Fédération. Identifiez-vous. »

— Ici le vaisseau fédéré le *Gange*. Je suis le major Kira Nerys, des Forces provisoires bajorannes, et officier en second de la station Deep Space Neuf.

Sa voix tremblait. Elle pouvait encore voir l'enveloppe de chair de la créature énergétique flotter derrière l'un des vaisseaux.

— Que venez-vous faire ici, jeune dame ? Vous nous avez fait perdre beaucoup d'argent, dit-il d'un ton sarcastique qui la piqua au vif.

De l'argent ? Elle faillit lui répondre d'un ton brusque. C'était un accident. Elle méritait un châtiment pour cette vie qu'elle venait d'enlever. Mais elle se rappela sa promesse à Sisko.

— Je vous assure qu'il n'était pas dans mon intention de tuer l'*Espiritu*.

— Et quelle était exactement votre intention ?

L'homme était enfoncé dans un grand fauteuil noir, derrière lequel Kira pouvait voir un mur couvert de cartes et de graphiques, ainsi que des écrans d'ordinateurs rotatifs.

Elle laissa filtrer dans sa voix un peu du feu qui bouillonnait dans ses veines.

— Votre « chasse » dans le secteur a causé la perte de plusieurs vaisseaux et menace notre station spatiale.

— Et alors ? demanda l'homme de l'espace.

— Et alors ? Eh bien, je suis ici pour vous demander d'y mettre fin ou d'aller chasser ailleurs.

L'imbécile. La vie ne valait rien à ses yeux.

— Nous suivons les créatures d'énergie là où elles vont, dit-il. Et elles se trouvent présentement dans cette zone. Les radiations du trou de ver les attirent.

— Vous avez peut-être déjà causé une guerre entre la Fédération et les Cardassiens.

L'homme se contenta de hausser les épaules, un geste naturel et inconscient. Sa réponse ne comportait de toute évidence aucun calcul :

— Nous passons très peu de temps dans votre dimension. Ce qui s'y passe ne nous intéresse pas.

— Nous, si, répondit Kira. La Fédération vous...

— La Fédération nous recherche depuis des années, et pourtant nous sommes là. Avons-nous l'air inquiets ? demanda-t-il en se penchant vers l'écran. Dites à vos camarades qu'ils n'ont qu'à attendre. Nous quitterons le secteur quand les *Espiritus* partiront.

Il éclata d'un rire guttural, accompagné de celui d'autres voix provenant des membres d'équipage des autres vaisseaux, que Kira ne pouvait voir. Il coupa la transmission.

Kira abattit son poing sur la console. L'idée de Sisko n'avait servi à rien. Kira avait même été amicale — autant qu'elle pouvait l'être dans les circonstances.

Presque à l'unisson, les cinq vaisseaux virèrent de bord et s'éloignèrent en formation serrée. Devant eux, Kira pouvait discerner une pâle ondulation de lumière bleue. Un autre *Espiritu* se dirigeait vers eux.

Kira voulut se lancer à leur poursuite, mais elle s'arrêta. Elle n'aurait rien pu faire. Elle devait retourner à station, où on trouverait une nouvelle solution. Sisko saurait peut-être comment se débarrasser des Cavaliers d'une autre manière.

Elle poussa un soupir et baissa les yeux vers la console où clignotaient les voyants. Il lui restait au moins la distorsion. D'un geste du doigt, elle s'apprêta à regagner la station. Elle tendit alors le bras vers le déphaseur, mais sa main s'arrêta. Celui-ci était entouré d'un halo de suie noirâtre. C'est de là que s'était échappé le nuage de fumée qu'elle avait vu auparavant.

Kira appuya sur le déphaseur, mais rien ne se passa. Elle ouvrit le panneau. Tout était carbonisé à l'intérieur. Les composantes avaient fondu.

Il n'y avait pas de retour possible.

CHAPITRE 30

— Il a fait ça ! Lui ?

Quark était debout près de la table de Dabo. Les joueurs prenaient une pause de cinq minutes pour se dégourdir un peu et Rom avait entraîné son frère hors de la salle après avoir servi les plats.

Il se rapprocha de la croupière de Dabo, comme si celle-ci avait pu le protéger — ce qu'elle aurait probablement pu faire, étant deux fois plus grande que lui.

— Nog nous espionnait...

— Ça, tu me l'as déjà dit. C'est le Nagus qui m'intéresse.

Rom baissa la tête et rapprocha les mains de ses oreilles, par mesure de prévention :

— Il utilise notre dispositif pour tricher.

— Pas si fort, imbécile, ordonna Quark en le menaçant du poing. Eh bien, j'espère qu'il n'a pas été plus chanceux que moi.

Rom se réfugia derrière la fille du Dabo, qui préférait s'éloigner de la table. La perspective de se retrouver coincée entre les deux frères ne la réjouissait pas tellement.

Quark les ignora. Ce n'était pas eux qui importaient à ses yeux, mais plutôt le propriétaire trop gourmand de cette paire d'oreilles surdimensionnées, qui osait se servir de *son* système pour tricher. Quark s'appuya contre la porte et jeta un coup d'œil dans la salle. Il restait environ vingt-six joueurs, parmi lesquels une de ses taupes, qui arrivait à peine à tenir le coup à cause des défaillances de la station. Le Nagus, lui, semblait s'en tirer assez bien. Peut-être que les systèmes flanchaient parce que le Nagus les avait infiltrés.

Une main lui tapa sur l'épaule. Quark se retourna et aperçut Odo, la mine sombre. Il essuya ses mains moites sur son pantalon, souhaitant que le constable n'ait rien entendu.

— Je viens de parler au commandant Sisko, dit Odo. Il faut tout arrêter.

Comme s'il n'avait pas joué, et récolté des bénéfices appréciables. Quark s'enfonça un doigt dans l'oreille pour la nettoyer. Peut-être avait-il mal entendu.

— Qu'est-ce que vous dites ?

— Il faut tout arrêter.

Quark saisit Odo par le bras et le conduisit jusque dans le bar. Quand il les vit arriver, Rom déguerpit en vitesse. La fille du Dabo se retira discrètement jusqu'à l'autre bout de la table.

— Pourquoi ? demanda-t-il. Tout va bien à présent. Vous avez mis la main au collet du tueur. La partie se déroule normalement.

— Il ne s'agit pas de la partie, précisa Odo. Mais plutôt de votre système pour tricher.

— Chhuuut !!! fit Quark en jetant un regard vers les portes de l'arrière-salle pour s'assurer que personne n'avait entendu. Comment l'avez-vous appris ?

— Vous oubliez, Quark, qu'il ne se passe rien sur cette station dont je ne sois pas informé.

Quark fronça les sourcils :

— Si vous le saviez, pourquoi n'avez-vous pas prévenu le commandant ?

— Les problèmes de la station se sont aggravés, dit Odo. Vos équipements drainent de l'énergie dont nous avons besoin.

— Foutaise ! postillonna Quark. (Il devait réfléchir très vite.) Mon matériel est totalement inoffensif.

— Pourtant, l'ingénieur en chef O'Brien croit que votre merveilleux petit système augmente les fluctuations du réacteur.

— Eh bien, il a tort ! répondit Quark tout net.

— Vous croyez ?

— Positif ! Nous l'avons testé il y a déjà plusieurs semaines. Il y aurait eu des interférences à ce moment-là.

— Je ne connais pas grand-chose, dit Odo en haussant les épaules, aux aspects techniques de cette station. Ce que je sais, par contre, c'est que les tests diffèrent souvent de la réalité. Vos petits appareils fonctionnent depuis un bon bout de temps et compliquent nos problèmes. Je veux que l'on ferme le système.

Quark fit le tour de la table de Dabo. Des meurtres, des pannes, et cela à présent. Plus de système. Non pas qu'il lui eût été d'un grand secours. Seul le Nagus semblait en bénéficier. Quark réfléchit le plus vite qu'il put.

En secret, il sourit, puis se tourna vers Odo, l'air grave.

— D'accord, dit-il. Je vais l'arrêter.

— Très bien, le félicita Odo, en tirant un senseur férengi de sa poche. Il vaudrait mieux, parce que je vais vérifier.

Comment Odo s'était-il procuré ça ? Quark sembla un instant hypnotisé par le détecteur. La fille du Dabo laissa échapper un gloussement derrière lui, avant de porter la main à sa bouche. Quark dut se retenir pour ne pas l'imiter. Il ne voulait pas laisser paraître son indifférence à cette fermeture. En effet, les chances de Odo de remporter le gros lot s'en trouveraient augmentées.

— Toi ! tonna-t-il en pointant la jeune fille avec un froncement de sourcils qu'il jugeait de circonstance. Un autre commentaire de ce genre et tu es renvoyée ! Maintenant, va chercher mon frère.

— Je me réjouis de votre collaboration, Quark, dit Odo d'un ton un tantinet soupçonneux.

— Ai-je vraiment le choix ? ronchonna le Férengi. Je suis coincé.

— Cela ne vous a jamais retenu auparavant.

— Et peut-être pas plus cette fois-ci, dit-il en s'éloignant de Odo avec précipitation.

Il se dirigea vers les portes, qui s'ouvrirent en sifflant. Rien n'avait changé dans l'arrière-salle : la chaleur était insupportable, tout autant que l'odeur des corps surmenés et de la Meepode.

Quark regarda le Nagus et sourit. La taupe de Quark allait perdre de toute manière, avec ou sans système. Mais le dispositif avait profité au Nagus, qui avait amassé beaucoup trop de chips.

Quark était curieux de voir comment le Nagus allait se débrouiller par ses propres moyens.

Tel était l'inconvénient d'emprunter le système d'un autre pour tricher. Impossible de faire quoi que ce soit lorsque celui-ci s'arrêtait.

Ce fut pour Quark la pensée la plus réjouissante de la journée.

CHAPITRE 31

Ils avaient mis beaucoup trop de temps pour réparer les systèmes de survie. O'Brien essuya son front brûlant d'une main crasseuse. Il avait l'impression que son uniforme lui collait à la peau. Il savait qu'un jour il pourrait sans doute dormir de nouveau... mais impossible de dire quand.

Il effectua une dernière vérification pour s'assurer de la stabilité du réacteur, qui semblait, Dieu soit loué, tenir le coup. Du moins pour l'instant.

Il avait rétabli les systèmes environnementaux, l'éclairage et les contrôles atmosphériques pour ce qui lui semblait être la millième fois. Il s'occuperait ensuite des synthétiseurs, peu importe ce qu'en dirait Sisko. O'Brien avait appris sur l'*Entreprise* qu'il ne pouvait rester longtemps sans dormir ni manger à la fois. Privé de ces deux fonctions essentielles, il allait tout simplement s'effondrer.

Ops grouillait d'activité. Jake avait regagné les quartiers résidentiels et Sisko pouvait mieux se concentrer. Il avait requis les services de personnel supplémentaire pour aider aux réparations, craignant les représailles des Cardassiens quand leurs vaisseaux seraient redevenus opérationnels. Comme les communications ne fonctionnaient toujours pas, il leur était impossible de savoir si les Cardassiens avaient demandé des renforts.

Et Kira qui n'était toujours pas de retour.

Cela tourmentait O'Brien depuis une heure. Une fois dans la dimension parallèle, elle aurait normalement dû entreprendre les pourparlers avec les Cavaliers Fantômes, puis revenir. Même si les négociations avaient été difficiles, elle aurait dû avoir réintégré la station à présent. Rien n'indiquait que les Cavaliers poursuivaient toujours leur proie.

Les conversations à voix basse avaient toutes trait aux réparations. Carter contre-vérifiait les système de défense. L'enseigne Xiao renforçait les boucliers. En se rendant au pupitre des opérations, Sisko passa à proximité de O'Brien, qui le retint.

— Je ne voudrais pas jouer les prophètes de malheur, commandant, dit l'ingénieur, mais Kira devrait être revenue à l'heure qu'il est.

— Je le sais, répondit Sisko. Souhaitons qu'elle a simplement eu de la difficulté à trouver les Cavaliers.

Il se dirigea vers Dax, qui était penchée sur la console de communications. Elle venait tout juste de remettre le système en marche, mais il faudrait un certain temps avant de savoir s'il fonctionnait correctement. O'Brien n'avait pas eu le temps de le vérifier.

— Dax, peut-on établir la liaison avec les Cardassiens ? demanda Sisko.

— J'avais réussi à ouvrir un canal, Benjamin, mais je l'ai perdu. J'en suis désolée.

O'Brien leva les yeux vers le maître écran. Deux des vaisseaux cardassiens s'étaient redressés et la puissance semblait rétablie dans la zone de la passerelle, mais le reste des deux navires demeurait plongé dans l'obscurité. Pour l'instant, leurs efforts semblaient se concentrer sur la stabilisation des autres vaisseaux. Puisque la station était restée muette pendant près de trois heures, les Cardassiens ne croiraient jamais à une offre de secours de la part de Deep Space Neuf.

— J'ai une idée, dit O'Brien. Les Cardassiens vont nous mettre ce gâchis sur le dos, surtout après la petite démonstration du major Kira. Je crois qu'il sera impossible de régler verbalement cette situation, quoi que nous puissions dire, commandant. Ils ne nous croiront jamais.

— Cela m'inquiète aussi, chef. Et j'espère que le major sera de retour avant que les Cardassiens n'aient repris le contrôle de leurs vaisseaux.

O'Brien n'avait pas songé à cet aspect, à l'instar de la plupart des autres membres d'équipage, d'ailleurs. Il sentit la tension grimper d'un cran dans la pièce, et tout le monde sembla soudain plus alerte.

— Commandant, poursuivit-il, je crois que seuls les Cavaliers Fantômes pourraient convaincre les Cardassiens que nous ne sommes pas la cause de leurs ennuis. Et, pour autant que l'on sache, ils ne viendront certainement pas dans notre espace de leur plein gré.

— C'est exact, approuva Sisko. D'autant qu'ils sont recherchés par la Fédération.

— Je peux convertir les phaseurs du runabout en rayon anionique.

— Je croyais que le débat était clos là-dessus, dit Sisko. On ne peut pas tirer sur quelque chose qu'on ne voit pas.

— C'est vrai, commandant. Mais nous le pourrions si leurs vaisseaux devenaient visibles.

Sisko releva la tête quand il comprit ce que voulait dire le chef ingénieur :

— Il faut envoyer quelqu'un d'autre hors de phase.

— Exact, commandant, dit-il, et il désigna les vaisseaux des Cardassiens sur l'écran. En même temps, ça les ralentira.

— Benjamin, le canal de transmission avec les Cardassiens est rétabli, annonça Dax d'une voix triomphante.

O'Brien savait ce qu'elle ressentait, après une dure bataille contre un système récalcitrant. Un profond sentiment de triomphe.

— Transmission, lieutenant.

À part les doigts de Dax au-dessus de sa console, tout s'immobilisa sur Ops. Quelques enseignes fixaient l'écran comme si le moindre mouvement des vaisseaux des Cardassiens avait pu leur révéler les intentions de ceux-ci. Dax secoua la tête :

— Désolée, Benjamin. Ils ne répondent pas.

— Laissez-moi essayer, dit Sisko en s'avançant jusqu'à sa place favorite, devant le pupitre des opérations.

— Commandant Sisko à Gul Danar. Gul Danar ? Répondez, je vous prie.

Les navires sur l'écran restaient dans leur position, et il n'y eut pas la moindre réaction.

— Toujours rien, répéta Dax.

— Ont-ils reçu le message ? demanda Sisko.

— Oui, commandant, dit Carter. Tout semble indiquer que leurs systèmes de communications fonctionnent normalement.

— C'est mauvais signe, dit O'Brien en tirant sur le col de son uniforme. Les Cardassiens ont l'habitude de garder le silence avant d'attaquer.

Les épaules de Sisko s'affaissèrent.

— Continuez de les appeler, Dax. Nous n'échangerons une communication que s'ils le veulent. Mieux, transmettez un message répété les informant que nous désirons négocier. Monsieur O'Brien, il semble bien que nous allons devoir faire apparaître ces Cavaliers Fantômes. Combien de temps vous faut-il ?

— Quelques minutes pour convertir les phaseurs et environ une heure pour modifier un autre runabout.

— Exécution, ordonna Sisko. Et dépêchez-vous.

— À vos ordres, commandant, obtempéra O'Brien en s'écartant de la console d'ingénierie. Quand j'aurai fini mon travail, commandant, j'aimerais me porter volontaire pour piloter le runabout. Comme ça, s'il y a des pépins de l'autre côté, je pourrai m'en occuper.

Sisko se passa la main dans sa barbe toujours plus abondante, puis il secoua la tête :

— Je vous aurais normalement donné mon consentement, mais puisqu'un runabout doit changer de phase encore une fois, j'ai besoin de vous ici. Je préfère que vous vous occupiez de maintenir le réacteur intact.

O'Brien savait qu'il avait raison.

— Les Cardassiens surveillent sûrement les quais d'amarrage de la station, mentionna Dax.

— Leurs systèmes de défense sont-ils rétablis ?

— Négatif, commandant, répondit Carter.

— Nous serions déjà au courant s'ils l'étaient, observa O'Brien en quittant son poste.

— Laisse-moi accompagner le chef O'Brien, Benjamin, proposa Dax. Je pourrai ainsi quitter la station à l'instant même où l'appareil sera prêt à décoller.

— Votre présence est trop nécessaire ici, Dax. Ces systèmes vous sont presque aussi familiers qu'au chef, et il aura besoin de toute l'assistance disponible. En toute logique, c'est à moi qu'échoit cette mission.

— Et les Cardassiens, commandant ? demanda O'Brien.

Un sourire se dessina sur les lèvres de Sisko :

— Je crains qu'ils ne soient secoués une deuxième fois, aujourd'hui.

L'ingénieur n'avait pas envie de sourire. Si les Cardassiens allaient être bousculés, il en serait de même de la station. Avant de se rendre au quai d'arrimage, il s'arrêterait à la chambre du réacteur afin de donner quelques conseils à Teppo. Et peut-être qu'il lui serait possible de renforcer un peu la protection de la station. Une idée lui trottait dans la tête.

— Une heure, ce sera long, chef, dit Sisko.

O’Brien lui adressa un signe de tête en montant dans le turbolift :

— Tout sera prêt dans une demi-heure, commandant. Je vous préviendrai le moment venu.

— Je serai au rendez-vous, monsieur O’Brien.

CHAPITRE 32

— La première partie de poker digne de ce nom que j'ai jouée a eu lieu voilà deux cent vingt ans, sur Titanias Trois, juste avant que la peste ne fauche la moitié de la population, déclara Berlinghoff Rasmussen. J'étais assis en face d'un Klingon, continua-t-il en lorgnant du côté de Lursa, qui prétendait appartenir à la Maison de Duras, si je me rappelle bien. À cette époque, vous vous en souviendrez peut-être, les rapports entre les humains et les Klingons n'étaient pas des plus cordiaux. Et...

— Ils ne le seront guère davantage si vous ne la bouclez pas, le prévint Lursa.

Elle était assise en face de Odo et détenait autant de chips que lui, c'est-à-dire environ dix fois la mise initiale. Malgré son bavardage incessant, Rasmussen tirait son épingle du jeu : c'est lui qui avait amassé le plus grand nombre de jetons.

La dernière table. Autour de laquelle étaient rassemblés les huit derniers joueurs.

Odo laissa échapper un soupir. Non seulement ce jeu était d'une simplicité assommante, mais les joueurs l'étaient tout autant. Il n'avait pas assisté à d'aussi ennuyeuses conversations depuis le départ des Cardassiens.

— Laissez-le tranquille, Lursa, dit Garak. Vous voyez bien que son bavardage lui sert d'exutoire à sa nervosité.

— Vous croyez que c'est la nervosité ? demanda Rasmussen, avec un geste de la main au-dessus de son extravagante pile de chips. Je croyais que le poker était un jeu *amical*.

— Où êtes-vous allé chercher une telle ânerie ? demanda Lursa.

— Il me semble que c'est votre ancêtre qui avait fait cette remarque..., répondit-il.

Lursa se pencha vers Rasmussen et approcha son visage tout près du sien :

— Je ne vous permets pas de ternir la mémoire de mes ancêtres.

— Oh, je vous en prie, se lamenta Cynthia Jones. Inutile de vous chamailler à ce stade de la partie, ça ne sert à rien.

Le mouvement de son bras dégagea un parfum de roses — l'odeur la plus agréable de toutes celles qui flottaient dans la salle. La Meepode, blessée, était assise à côté de Lursa. Elle dégageait une puanteur telle que Odo croyait que ses vêtements en seraient imprégnés à tout jamais. Bashir avait offert de la soigner, mais il n'avait obtenu que de pouvoir stériliser sa blessure et d'y appliquer un pansement. Cela s'était passé la veille, et les bandages commençaient à virer au vert. La Meepode ne voulait pas le laisser approcher d'elle parce qu'il était l'un de ses adversaires.

Odo avait été tenté de l'expulser de la partie, mais il soupçonnait une réaction défavorable des autres joueurs.

Cynthia gardait un calme remarquable pour quelqu'un à qui il ne restait plus à peine que la moitié de sa mise initiale. Mais son intérêt pour la partie semblait s'être déplacé vers le genou de Odo. Cela faisait maintenant une demi-heure que le constable lui repoussait les mains, une expression de dégoût sur le visage. Il l'avait vue minauder avec Bashir un peu plus tôt et, une fois celui-ci parti, c'est vers Pera, le Bajoran, qu'elle avait tourné sa convoitise. Pera parti, Odo devenait en quelque sorte le mâle le plus attirant de la table.

Quand la partie serait terminée, il se promit de fuir la présence de cette femme.

Il avait beaucoup à faire de toute façon. À chaque pause, il s'était rendu au corps de garde pour s'assurer que Primmon faisait son travail. Dire que L'sthwan était furieux aurait été un euphémisme. Il ne cessait d'accuser le commandant de l'avoir floué. Odo se contentait de hausser les épaules.

Les agissements des mécréants qui avaient perdu leurs mises le préoccupaient davantage. La plupart d'entre eux avaient regagné leur vaisseau amarré sur les quais, dans l'attente d'une autorisation de Ops leur permettant de partir.

Il semblait cependant que le centre des opérations n'accorderait aucune permission de décollage. Ce que Odo comprenait parfaitement bien, compte tenu des dernières secousses.

— C'est vrai, arrêtez avec vos histoires, dit Etana, la jeune femme élancée au visage de sphinx. C'est la partie qui compte.

Odo posa le regard sur elle. Il la surveillait depuis un moment. Profitant d'un arrêt du jeu, il avait consulté l'ordinateur et trouvé son dossier. Il avait découvert qu'elle avait rencontré le lieutenant Will Riker, de l'*Entreprise*, pour lui faire cadeau d'un jeu étrange, qu'il avait rapporté sur le vaisseau. Odo considérait ce faux pas comme typique de l'incompétence de Starfleet : dans les mêmes circonstances, Odo aurait confisqué l'objet — probablement dès le débarquement, en présumant qu'il pouvait s'agir d'une arme. Et il aurait eu raison. Le jeu était effectivement une arme conçue par les Ktarans pour prendre le contrôle des esprits.

Quand il l'apprit, Odo fut tenté de chasser Etana de la station, mais son dossier indiquait également qu'elle était un véritable as aux cartes. Aucun mandat d'arrêt n'avait été lancé contre elle et Odo n'avait trouvé aucun détail de droit qui lui aurait permis de l'appréhender. Aussi se contenta-t-il de la surveiller.

Le Nagus se mit à pousser des gloussements et Odo serra les dents, agacé par ce bruit grinçant.

— Bah, laissez-les donc se disputer, conseilla le Nagus. Comme ça, il en restera plus pour les autres.

— Je crois que les cartes ont été suffisamment brassées, dit Odo à la donneuse. Pouvons-nous continuer la partie ?

Plus vite celle-ci se terminerait et plus vite il pourrait sortir du Quark's. Ç'avait été une bonne idée de prendre part au tournoi mais il n'aurait jamais cru que le poker était si simple. On se serait plutôt attendu, d'un jeu ayant une si longue histoire, qu'il fût plus exaltant.

Odo coupa dès que la donneuse eût posé le paquet de cartes devant lui, puis elle en fit la distribution, avec des gestes si rapides qu'il pouvait à peine voir ses mains. Il ramassa ses deux cartes. Le quatre et la dame de cœur. Une possibilité de flush de cœur. Voilà qui aurait porté Quark au comble de l'excitation.

Odo calcula les probabilités. Un flush de cœur était évidemment plus probable qu'une quinte, mais les possibilités restaient minces. Il décida qu'il ne changerait rien à la tactique qu'il utilisait depuis le début — il suivrait, pour continuer de jouer, mais s'abstiendrait de renchérir.

Ce système lui convenait et il s'aperçut que les autres joueurs croyaient parfois qu'il bluffait. Il venait aussi de découvrir que s'il poursuivait la partie jusqu'à la quatrième carte retournée, peu importait la main qu'il avait reçue — à moins de n'avoir vraiment aucune chance — ses possibilités de gagner augmentaient. À sa manière détournée, Etana lui avait fait comprendre que les joueurs ne savaient pas à quoi s'en tenir avec lui et qu'ils modifiaient donc leur stratégie pour se protéger.

Conformément à son absence de stratégie, il suivit la première mise puis attendit le Flop.

Ainsi que Odo l'avait prévu, sauf quelques murmures accompagnant les mises, la conversation s'arrêta dès que les cartes furent distribuées. Si seulement Rasmussen pouvait toujours avoir des cartes devant lui...

La donneuse retourna le Flop : le huit de cœur, le six de cœur et le quatre de carreau. La possibilité d'un flush de cœur demeurait prometteuse.

Garak laissa échapper un bruyant soupir. Odo le regarda et le Cardassien écarquilla les yeux légèrement. Garak essayait de lui dire quelque chose. Intéressant. Garak s'était déjà montré utile par le passé, tout particulièrement pour neutraliser les complots de Lursa et de B'Etor lors de leur dernière visite sur la station. Pour un Cardassien, c'était un type bien. Garak sourit et haussa les épaules, puis il lança ses cartes sur la table. Il passait.

Bizarre, pour le moins.

La Meepode fit monter la mise — elle bluffait. Toutes ces années passées avec Quark avaient fait de Odo un expert en matière de menteurs humanoïdes, et à ce jeu le bluff était un mensonge. À l'exemple des joueurs restants, Odo empila ses chips au centre de la table. Un jeu où triomphait la duplicité, rien de moins surprenant de la part des humanoïdes, pensa Odo. Ils payaient pour voir la sixième carte.

La donneuse retourna l'as de pique.

La Meepode ouvrit, mais Lursa relança. Etana suivit, ainsi que Cynthia Jones. Garak s'était écarté de la table et fixait le plafond, n'accordant pas le moindre intérêt au jeu. C'était très étrange. Jusque-là, Garak avait pourtant suivi avec attention toutes les autres donnes.

Quelque chose clochait. Odo avait reçu d'excellentes cartes. Il ne lui en manquait qu'une seule pour obtenir un flush, et la théorie des nombres lui aurait commandé de suivre, et même de renchérir. Selon les cartes retournées sur la table, Lursa pouvait au mieux espérer une straight, et au pire un brelan d'as.

Non que cela eût une quelconque importance.

En effet, contrairement aux autres joueurs, ni l'émotivité ni l'enjeu financier ne tenait de place pour Odo. Ce n'était pas lui qui en souffrirait s'il perdait tout l'argent, mais Quark. Il valait mieux qu'il se retire pour observer ce qui allait se passer. Garak avait remarqué quelque chose et tenté de le mettre en garde. Il lui fallait découvrir de quoi il s'agissait.

Il passa.

Garak le dévisagea avec surprise. Quant à Lursa, elle lui lança un regard furieux. Elle semblait prête à sauter par-dessus la table pour l'assassiner.

Elle cachait quelque chose.

Le Nagus jeta un coup d'œil vers Odo, puis vers Lursa. En fronçant les sourcils, il passa lui aussi. D'un geste, il appela ensuite Quark, qui se précipita à son chevet — bien qu'avec moins d'obséquiosité qu'à son habitude avec le Nagus. Après quelques mots échangés à voix basse, Quark laissa échapper un juron qu'on put entendre, puis il s'écarta pour se poster en observateur.

Durant l'entretien des deux Férengis, les joueurs restants avaient suivi la mise. La donneuse retourna la dernière carte. Le sept de cœur.

Odo se renfrogna. S'il avait suivi, il aurait eu un flush de cœur, à la reine. Une main très forte.

Lursa poussa vers le pot un amas de jetons qui équivalait à quatre-vingt barres de latinum. Odo leva les yeux vers Garak, dont le regard errait toujours au plafond. Odo en avait appris beaucoup depuis le début du tournoi, et le geste de Lursa n'avait aucun sens. Personne ne risquerait une telle somme d'argent sans être sûr de son coup. Il regarda les cartes. Le sept, le huit et le six de cœur. Personne ne parierait une somme pareille sur une straight.

Quark croisa les bras. Il n'y avait plus trace de sourire sur le visage du Nagus. Garak rapprocha finalement son fauteuil, mais sans porter la moindre attention aux autres joueurs. Il regardait Quark.

L'instinct de Odo ne l'avait pas trompé. Garak avait voulu l'avertir. Les Klingons trichaient eux aussi, avec leur propre système.

Cynthia Jones passa puis posa la main sur la cuisse de Odo, qui la repoussa d'un geste absent, trop absorbé qu'il était pour en être agacé. La Meepode suivit la mise de Lursa et y ajouta vingt barres. C'était l'enjeu le plus important depuis le début du tournoi. Rasmussen suivit à son tour, imité par Etana. Mais à quoi pensaient-ils ? Ces cartes contenaient-elles autant de combinaisons gagnantes ? De toute évidence, ils ne recouraient pas à la théorie mathématique pour guider leur jeu. Ils se fiaient à un système basé sur la chance et le mensonge.

Peu efficace.

Et pourquoi Odo se serait-il attendu à autre chose ?

Lursa poussa vers le pot le nombre suffisant de chips pour égaler la mise de la Meepode et relança de cinquante barres.

Quark ne broncha pas et le Nagus se rencogna dans son fauteuil en se croisant les bras. Ils ressemblaient à deux petits mannequins postés en sentinelle avec la même expression peinte figée sur leurs visages au relief raviné.

La Meepode suivit et renchérit à son tour de cinquante. Rasmussen et Etana se contentèrent de suivre.

Lursa avança cent barres additionnelles.

Odo avait la gorge sèche. Soudainement, la partie captait son intérêt. Il voulait savoir ce qui allait se passer et découvrir comment ils trichaient. Le pot était colossal. Les chips étaient trop nombreux pour qu'on puisse les compter mais le tapis devait s'élever à près de deux cents barres. Pour une seule donne.

Lursa posa ses cartes sur la table l'une après l'autre : le neuf, puis le dix de cœur. Le six, le sept et le huit étaient déjà sur la table. Elle avait une quinte royale au dix.

Rasmussen devint écarlate et lança ses cartes dans le pot. Etana et la Meepode déposèrent les leurs sur la table. Lursa ramassa les jetons, le visage éclairé d'un large sourire.

Ni Quark ni le Nagus ne souriaient, cependant. Garak n'avait pas fait un geste, ses coudes toujours posés sur la table, l'air interrogateur.

— Je vais prendre votre place, dit Quark en écartant la donneuse de la table.

Il prit un paquet neuf et l'ouvrit devant les joueurs. Lursa pinça les lèvres. Le Nagus hocha la tête et Garak s'enfonça dans son fauteuil, le corps enfin détendu.

Odo comprit à ce moment ce qui était arrivé.

Les cartes avaient été truquées, d'une manière ou d'une autre. S'il avait joué selon sa méthode habituelle, il aurait perdu à peu près tous les chips qui lui restaient.

Sa mine se rembrunit. Il ne pouvait pas prouver l'existence d'un système destiné à tricher, et même si cela avait été possible, quel chef d'accusation aurait-il pu porter ? Vol ? Aurait-il pu les mettre en état d'arrestation ? Était-ce vraiment là ce qu'il voulait ?

Il retint un léger soupir. La fin du tournoi s'ouvrait devant lui, sinistre, comme une sentence de mort.

CHAPITRE 33

La situation semblait commencer à se rétablir sur Ops. Un enseigne avait remis de l'ordre dans le fouillis de câbles électriques qui s'étaient détachés de la cloison près du bureau de Sisko. Les équipements qui étaient tombés en panne fonctionnaient à nouveau et, jusqu'à maintenant, ils avaient tenu bon. Il en serait peut-être autrement quand Sisko sortirait le runabout de phase.

Pourvu que O'Brien parvienne à maintenir la stabilité du réacteur, espérait Sisko. L'ingénieur avait passé beaucoup de temps dans la chambre du réacteur à tenter, aidé de quatre assistants, de trouver des moyens de neutraliser les fluctuations. Il avait refusé d'accroître les charges de réserve de crainte que cette suralimentation ne fasse exploser le réacteur quand le runabout changerait de phase.

Il ne faisait plus aucun doute que stopper les Cavaliers Fantômes restait la seule solution pour sauver la station, à la fois des Cardassiens et de la menace d'explosion du réacteur.

Sisko se pencha au-dessus du pupitre des opérations. Les systèmes se remettaient en marche. Un à un les voyants d'urgence s'étaient éteints. Il gratta sa barbe de plus en plus longue. Il aurait bien aimé avoir le temps de se raser. Une bonne douche et un changement d'uniforme n'auraient pas fait de mal non plus. Il commençait à remarquer qu'il ne s'était pas lavé depuis déjà plusieurs jours.

Odo venait de l'informer par communicateur qu'il avait fait désactiver le système de tricherie de Quark et vérifié que sa fermeture avait bien été effectuée. Ils doutaient tous deux que les appareils étranges de Quark aient eu quelque chose à voir avec les problèmes de la station, mais il valait mieux ne prendre aucun risque.

— Nous achevons les préparatifs, commandant, lui annonça la voix de O'Brien depuis le hangar de service.

— J'arrive, dit Sisko en se dirigeant aussitôt vers le turbolift.

Dax s'écarta de Odo et arrêta le commandant en lui prenant le bras :

— Benjamin. J'ai analysé la situation et la tournure des événements m'inquiète, dit-elle en désignant l'écran d'un mouvement de la tête.

Le dernier vaisseau cardassien avait repris place dans la formation. Seules les passerelles des vaisseaux étaient éclairées mais c'était suffisant pour déclencher une attaque.

— Je m'occupe de les mettre hors d'état de nuire, la rassura Sisko.

— Je crois que tu devrais rester pour parlementer avec eux.

Sisko plongea son regard dans les grands yeux bleus de Dax, au fond desquels il reconnut la sérénité de son vieil ami.

— Désolé, mon vieux, mais j'ai besoin de toi ici. De toute façon, l'heure ne sera pas aux pourparlers quand je décollerai. Nous nous occuperons de diplomatie quand j'aurai réussi ma mission.

Dax lui lâcha le bras. Elle avait fait une ultime tentative, Sisko pouvait le voir à l'expression de son visage. Elle savait qu'il ne reviendrait pas sur sa décision.

— Veille à garder cette station en un seul morceau, dit-il en montant dans le lift. Je vais les secouer un peu encore une fois. Cette entorse à la loi semble être notre meilleure défense.

C'est du moins ce qu'il espérait, car il ne savait pas s'il pourrait supporter qu'un changement de phase s'avère le coup fatal qui détruirait la station.

Et l'existence de Jake.

— Bonne chance, lui dit Dax.

Sisko sourit quand l'ascenseur s'ébranla et entama sa descente :

— Tu veux dire : Bonne chasse ?

CHAPITRE 34

La Meepode lança ses cartes sur la table, se leva et sortit de la salle, l'air digne, laissant derrière elle une traînée de puanteur. Quark se frotta les narines. Jamais plus il ne permettrait à des Meepods de participer à un tournoi. À moins qu'ils ne portent une combinaison conçue pour retenir les odeurs.

Quark balança la tête. Il saisit le paquet de cartes et traversa la salle pour aller activer le ventilateur afin de purifier l'air. Tout fonctionnait à nouveau, quel plaisir! Voilà qui assurerait une fin de tournoi décente.

— Que tous les dieux du panthéon soient loués, dit Berlinghoff Rasmussen. Je crois que mon odorat ne sera plus jamais le même.

Son commentaire ne suscita aucune réaction. Tous et chacun partageaient cette impression.

Quark regarda les piles de jetons. Les plus épaisses se trouvaient devant Odo et le Nagus. Il n'y avait aucun doute que Odo s'y connaissait au poker.

L'odeur ne se dissipait pas et Quark était sur le point de suffoquer.

— Faisons une pause, proposa-t-il.

Il ouvrit les portes et mit en marche la ventilation à l'intérieur du bar. Respirer de l'air frais produisait une curieuse impression — plutôt agréable.

Quark resta dans l'embrasure de la porte à observer les joueurs qui se dégourdissaient les jambes. Certains s'étiraient, d'autres, aux tables du fond, avalaient une bouchée. Quark se demandait comment ils arrivaient à manger, avec cette odeur qui flottait toujours dans l'air. Il est vrai qu'avec l'âge le Nagus avait dû perdre un peu de son odorat et que les humains supportaient toutes sortes d'odeurs nauséabondes sans même les remarquer.

Les quatre joueurs qui s'étaient rendus jusqu'à la fin le surprenaient un peu. Il savait que Rasmussen en ferait partie. L'homme était passé maître dans l'art de la duperie. En parvenant à la ronde finale, Garak confirmait son statut d'espion sur la station, une profession qui exigeait une impassibilité à toute épreuve. Après que Quark eût remplacé les paquets de cartes, les deux hommes s'étaient ligués contre Lursa et l'avaient rapidement évincée de la table. Quark n'avait jamais vu quelqu'un perdre autant d'argent en si peu de temps. Il ferait bien de ne pas l'oublier dans ses futurs rapports avec elle.

En fait, la surprise venait du Nagus et de Odo. Quark s'était attendu à ce que le Nagus abandonne, peu après la fermeture du dispositif de tricherie. D'ailleurs, Quark avait alors rôdé autour de la table du Nagus dans l'attente d'un revirement de situation, mais celui-ci s'en était rigoureusement tenu à la stratégie qu'il appliquait depuis le début du tournoi.

La vraie surprise restait toutefois Odo. Il avait certainement menti toutes ces années en prétendant ne pas savoir jouer. Cette chance prodigieuse ne pouvait s'expliquer autrement.

À moins de posséder un don naturel extraordinaire.

Il assurait trouver le jeu d'une simplicité enfantine.

Et Odo ne mentait jamais.

Quark passa le doigt le long de sa conque d'oreille gauche pour se calmer. Deux jours auparavant, Odo ne connaissait rien au poker. Personne n'aurait pu feindre une telle ignorance.

Quark ferma les yeux. Odo était naturellement doué pour le poker, plus que quiconque dans tout le quadrant.

Et constituait la taupe parfaite.

L'odeur commençait enfin à se dissiper. Quark referma les portes et revint dans la salle. Rasmussen buvait la dernière lampée d'un cidre fortement alcoolisé, son cinquième verre depuis une heure. Le stress avait fini par l'atteindre.

Le Nagus et Odo se trouvaient tout près de lui. Quark se servit un verre de cidre et tendit l'oreille.

— Vous jouez très bien, disait le Nagus de sa voix nasillarde et haut perchée.

— Vous aussi, répondit Odo.

— Et nous verrons bientôt de quoi vous êtes capable, n'est-ce pas ? ricana le Nagus.

— En effet, convint Odo en haussant les épaules.

Brusquement, les lumières s'éteignirent. Quark échappa son verre et l'entendit se briser contre la table, puis le cidre se répandit sur son pantalon. Il se mit à jurer mais la station fut si fortement ébranlée qu'il s'affala sur la table. Les sirènes de la Promenade se déclenchèrent, hurlant dans le bar comme des bêtes sauvages. Des verres pleins et des plats de larves de vers frites s'étaient renversés sur lui. Il était trempé. Ses doigts atterrirent dans la matière visqueuse et chaude contenue dans un bol et il reçut une pluie de petites boulettes sur le crâne. Il en attrapa une et l'approcha tout près de ses yeux. Une arachide. Il la lança à travers la salle. Il ne comprenait pas que les humains puissent avaler ces trucs.

Quand la station cessa de trembler, Quark se releva et saisit le bout de la nappe pour s'essuyer le visage et les mains, maculés de nourriture, bénissant l'obscurité. Il n'aurait pas voulu que le Nagus le voit recouvert de larves de vers grillées.

Quark frotta son costume pour s'assurer que plus aucune arachide ne s'y cachait, puis il cria à Rom :

— Allume les lumières !

— Je ne trouve pas le commutateur ! répondit celui-ci, d'une voix qui semblait provenir de loin.

— Dois-je vraiment toujours tout faire moi-même ? demanda Quark.

Il agrippa le bord de la table et s'en servit pour se guider jusqu'au commutateur, qu'il ouvrit. L'éclairage de fortune que Rom avait installé s'alluma.

Son frère était affalé derrière la table, une marmite de ragoût de bœuf renversée sur la tête. Des morceaux de viande et de carottes dégoulinaient le long de son visage.

— Va te nettoyer, ordonna Quark.

Donner un tel spectacle au Nagus. Ô dieux du ciel.

Rom retira le bol et se hâta de quitter la salle, laissant derrière lui des petites traces de pas brunâtres. Le Nagus se mit à glousser. Rasmussen joignit ses rires aux siens et Garak sourit. Seul Odo ne semblait pas amusé.

Quark retira une arachide de son gilet et tenta d'atteindre Rom en la lançant. Il n'aurait pas dû croire trop vite que les choses iraient mieux. Au moins, ils avaient l'éclairage de secours cette fois-ci. Il prit un paquet neuf et se dirigea vers la table.

— Sommes-nous prêts à continuer, messieurs ?

Le Nagus prit une larve grillée sur la nappe et la goba aussitôt. Odo fit la grimace et reprit place dans son fauteuil. Les autres l'imitèrent, ramassant quelques chips épars pour les remettre dans les énormes piles. Tous les jetons des soixante-dix-sept participants se trouvaient maintenant devant les quatre joueurs restants. Quark remarqua que personne ne s'était soucié de ramasser les chips qui jonchaient le sol. À ce stade de la partie, tout le monde savait que quelques chips de plus ou de moins ne feraient aucune différence. Le dernier survivant remporterait le tout.

La station trembla encore une fois, et la table tressauta. Quatre paires de mains s'abattirent dessus pour la retenir.

Tant pis pour le fantastique tournoi destiné à impressionner les meilleurs joueurs du quadrant. C'était raté pour la partie tranquille et paisible sur laquelle il comptait. Mais il lui restait une chance, peut-être, de réussir le plus gros coup de sa vie.

Quark prit appui sur la table et commença à mêler les cartes.

CHAPITRE 35

La voix de Dax grésilla dans le haut-parleur du runabout :

— Leurs systèmes de défense redeviennent opérationnels.

Sisko boucla sa ceinture et examina brièvement les nouveaux équipements. Il effectua ensuite une dernière vérification des phaseurs. O'Brien avait dit que tout était prêt en sortant de l'appareil puis avait aussitôt regagné Ops pour surveiller le réacteur.

Une vague odeur de chauffé flottait dans le runabout, probablement à cause des outils utilisés par O'Brien. Pour arriver à boucler son travail en trente et une minutes, il avait dû procéder en vitesse de distorsion.

Sisko dégagea le runabout de la plate-forme de décollage et le plaça en direction des vaisseaux de guerre cardassiens. Ceux-ci s'étaient remis en formation et, depuis le runabout, ils paraissaient plus redoutables que sur l'écran de Ops. Sisko abaissait les boucliers quand un message lui parvint de la station :

— Prépare-toi, Benjamin, dit Dax. Ils sont en train d'armer leurs torpilles photoniques.

— Merci, vieux, répondit Sisko.

Il poussa les réacteurs auxiliaires à fond en même temps qu'il manœuvrait le déphaseur installé par O'Brien. Ses doigts se mouvaient avec une rapidité fulgurante et le rythme de sa respiration s'était accéléré.

Une poussée d'adrénaline multipliait par deux la vitesse normale de ses gestes.

Le runabout se dirigea droit sur le vaisseau amiral de Gul Danar.

— Ils ont activé une séquence de tir! cria Dax. Ils tirent! ajouta-t-elle l'instant d'après, et Sisko aperçut l'éclair d'un photon jaillir des canons du vaisseau de commandement.

Il activa la séquence de déphasage, puis tout devint noir.

Les commandes se figèrent et ne répondirent pas davantage quand il tapa dessus.

L'éclairage de secours s'alluma. Le réacteur fut coupé un moment, mais il se remit en marche aussitôt. Une lumière multicolore et ondoyante remplissait le runabout et dansait sur sa peau comme les feux d'une salle de bal risanne.

Il plissa les yeux. L'espace semblait plat — comme en deux dimensions. Une carcasse vide et blanche en forme de ver dérivait à tribord et il pouvait voir le *Gange* par le hublot de bâbord. Lui aussi ressemblait à un dessin d'enfant, sans les ombres qui lui auraient donné du relief.

Il avait du mal à imaginer qu'on pût voyager régulièrement dans cet espace, qui semblait coller à lui comme s'il s'était trouvé coincé dans une petite pièce fermée et sans air.

Le vaisseau de Kira paraissait aussi inerte que ceux des Cardassiens après son départ de l'espace normal. Avait-elle été blessée au cours du passage dans l'autre phase ?

Il activa les communications.

— Le runabout *Rio Grande* appelle le *Gange*. C'est moi, Kira. Sisko. Est-ce que tout va bien ?

Son image scintilla sur l'écran. Son visage était en sueur et une trace de suie lui barrait le front. Elle avait retiré sa veste et son T-shirt aussi était sale et détrempé.

On aurait dit que la moitié des commandes avaient été arrachées. Kira tenait un laser dans la main gauche :

— Je vais bien, commandant, répondit-elle. Mais ce n'est pas le cas du *Gange.*

— Que s'est-il passé ?

Quantité de réponses possibles lui traversèrent l'esprit : les Cavaliers Fantômes l'avaient attaquée ; le runabout avait failli être détruit à cause des changements de phase successifs ; l'installation de fortune de O'Brien avait surchauffé un circuit et les contrôles avaient sauté.

Kira laissa échapper un rire réservé, pas vraiment agréable à entendre. D'ailleurs, toute l'attitude de Kira ne lui ressemblait pas.

— Je suis entrée en collision avec un *Espiritu*, répondit-elle. Je présume que je m'en suis tirée mieux que lui. Tout ce qui en reste apparaît dans votre hublot de tribord.

Sisko fit un bref signe de tête. Il comprenait à présent pourquoi l'attitude de Kira était si contenue. Elle en avait voulu aux Cavaliers Fantômes de tuer les créatures de lumière et voilà qu'à son arrivée, elle avait fait comme eux.

— La plupart de mes systèmes sont en panne, commandant, y compris la commande qui me permettrait de réintégrer notre espace réel.

Un autre message se superposa à celui de Kira et le visage d'un homme partagea subitement l'écran avec le major. Une cicatrice courait le long de sa joue et ses cheveux grisonnaient. C'était un humain.

— Tiens, tiens, tiens. Quel adorable portrait. Un officier de Starfleet qui fait toute cette route pour venir sauver une Bajoranne en péril.

Sisko jeta un coup d'œil aux senseurs pour y constater que les cinq petits vaisseaux s'étaient alignés en demi-cercle derrière le runabout.

— Il s'agit de mon officier en second, dit Sisko en approchant lentement son runabout de celui de Kira.

— N'intervenez pas et nous retournerons dans notre espace.

— Pas avant d'avoir discuté un peu avec nous, bien entendu.

Le type avait l'air trop relax et il ne plaisait pas du tout à Sisko. Celui-ci vira à bâbord du runabout de Kira, de manière à faire face aux navires des Cavaliers Fantômes.

Ces derniers ne semblaient pas très puissants. On aurait dit qu'ils avaient été bricolés avec des morceaux de provenances diverses, klingons, romulans et de la Fédération.

— Le major vous avait demandé de quitter ce secteur, dit Sisko, pour essayer de gagner un peu de temps. Pourquoi ne l'avez-vous pas fait ?

L'homme se mit à rire :

— Vraiment, vous les soldats de la Fédération, m'étonnerez toujours. Personne n'a encore réussi à nous attraper. Vous ne connaissez rien à ce type de dimension, commandant. Et même si vos connaissances étaient plus vastes, vos vaisseaux ne sont pas équipés pour supporter les longs voyages.

Les navires n'avaient pas bougé. Sisko n'obtenait aucune donnée sur leur armement non plus que sur les vaisseaux eux-mêmes d'ailleurs.

— Vous êtes en train de détruire une station spatiale de la Fédération, dit-il, vous causez de gros ennuis à la planète Bajor et vous endommagez des vaisseaux de guerre cardassiens. Votre agression peut entraîner la guerre. Au nom de la Fédération, des Bajorans et des Cardassiens, je vous demande de partir.

— Commandant, intervint Kira, ils savent déjà tout cela. Je le leur ai dit.

— C'est exact, jeune dame, enchaîna le Cavalier Fantôme. Et je vais répéter à votre patron la même chose qu'à vous. Nous ne pouvons pas partir car nos prises ne sont pas encore suffisantes.

Le bruit faible de rires s'éleva derrière lui, provenant d'acolytes que Sisko ne pouvait voir. Les cinq vaisseaux étaient sans doute reliés à un même canal.

— Et les miennes non plus, répondit Sisko.

Sans attendre de réponse, il lâcha une salve du phaseur converti, qui atteignit le vaisseau de commandement de plein fouet, l'encerclant d'ondes anioniques. Il devint aussi blanc que les créatures de lumière sans vie.

L'espace d'un instant, rien ne se passa. Puis il disparut.

D'un tir bien assuré, Sisko ouvrit le feu sur le deuxième et le troisième vaisseau avant que ceux-ci n'aient eu le temps de réagir. Les deux pâlirent, tout comme le premier, puis s'évanouirent.

L'espace bidimensionnel ondula, semblable aux ondes de chaleur que Sisko avait observées dans le désert de Howen, puis reprit sa conformation normale.

Le quatrième vaisseau vira et commença d'accélérer. Sisko tira sur lui. L'onde anionique le figea sur place, puis il se volatilisa.

Le dernier vaisseau essaya d'établir un contact. Faisant fi de la transmission, il tira. La clarté qui ceignit le vaisseau devint presque aveuglante. Sisko ferma les yeux. Lorsqu'il les rouvrit, l'appareil n'était plus là.

Les jeux de lumière qu'il avait aperçus à son arrivée réapparurent. Passant du bleu au rouge et inversement, le long du spectre, les créatures cylindriques, semblables à des vers géants, se rassemblèrent dans l'espace vide laissé par les vaisseaux.

— Les *Espiritus*, s'émerveilla Kira.

— Ils sont magnifiques.

Les lumières se reflétaient dans ses yeux et tout le runabout changeait de couleur en même temps que les créatures. Il se força à détourner les yeux :

— Il ne faut pas trop nous approcher, Kira. Nous devons repartir, maintenant.

— J'aimerais pouvoir les aider, dit-elle.

— Je crois que nous venons de le faire, Kira, dit Sisko en tournant son runabout vers l'appareil du major. Tenez-vous prête. Vous êtes la suivante. Laissez-moi cependant vous mettre en garde : les Cavaliers Fantômes sont dans notre espace à présent. Et la flotte des Cardassiens fourbissait ses armes quand je suis parti. Difficile de savoir ce que nous trouverons en arrivant. (Il évita de lui mentionner le risque de ne plus rien y trouver.)

Kira prit le laser et le secoua dans sa direction.

— Si beaux que soient les *Espiritus*, je ne désire pas rester éternellement en leur compagnie. Je suis prête, allez-y.

Sisko tira une salve anionique sur le *Gange*. Le petit runabout trembla. Les feux multicolores des créatures de lumière se reflétaient sur les ondes anioniques, créant ainsi des milliers d'arcs-en-ciel.

Le spectacle était si saisissant que Sisko s'arrêta un moment avant de recalibrer ses instruments.

Puis, après un bref signe de la main vers les Espiritus, il poussa le déphaseur à fond et ramena son runabout dans l'espace réel.

CHAPITRE 36

Odo fixait les cartes sur la table. Il savait que les choses en arriveraient là. Garak avait perdu la dernière main, et avec elle la totalité de ses chips, ce qui laissait Odo seul face à deux Férengis : le Nagus, qui jouait, et Quark, qui faisait office de donneur.

L'existence de Odo serait à jamais empoisonnée par les Férengis. Il venait de décider, quelque part au cours des cinq dernières minutes, que telle était sa destinée.

Aussi bien faire contre mauvaise fortune bon cœur.

Garak lança ses cartes sur la table. Odo attendit un moment avant de ramasser les jetons. Il lui avait semblé tellement évident qu'il possédait la meilleure main de cette donne, mais Garak n'avait manifestement pas pensé la même chose. Ou peut-être avait-il bluffé. Un jour, Odo comprendrait la notion de bluff.

Mais pas aujourd'hui, selon toute probabilité.

Garak écarta son fauteuil de la table et se leva. Il les salua tous deux, le Nagus et Odo.

— Cela a été un plaisir pour moi, dit-il, et un honneur de jouer avec vous, messieurs. Vous êtes tous deux d'excellents joueurs de poker.

La politesse d'un Cardassien éveillait toujours la méfiance de Odo, et il se gardait bien également de la remettre en question.

— Vous êtes un partenaire de premier ordre, dit le Nagus.

— La partie ne manquait pas d'intérêt, lui répondit Odo, bien qu'elle fut un peu assommante.

Il dévisagea le Nagus. Il n'y aurait pas pire affront pour les Férengis qu'une victoire de Odo sur le Nagus. Et c'est précisément ce que Odo se sentait capable de faire, s'il s'y appliquait.

Pour la deuxième fois de la journée, il ressentit de l'intérêt pour le jeu.

Garak lui sourit :

— Peut-être pourrais-je prendre ma revanche un jour ?

— Permettez-moi d'en douter, répondit le Nagus comme si Garak s'était adressé à lui. Je ne viens pas ici aussi souvent qu'il le faudrait.

Odo secoua la tête :

— Désolé. Je n'ai pas l'intention de jouer de nouveau après cette soirée.

— Je comprends, dit Garak, dont le sourire s'élargit. Si vous gagnez aujourd'hui, vous n'aurez aucune raison de jouer de nouveau.

— Il ne gagnera pas, dit tout bas le Nagus.

Garak fit comme s'il n'avait pas entendu. Il souleva un chapeau imaginaire en direction de Quark :

— Une partie fort intéressante, monsieur.

La mâchoire de Quark s'affaissa, surpris qu'il était de recevoir un compliment de la part d'un perdant. Avant qu'il ait pu répondre, Garak lui avait tourné le dos. Les portes s'ouvrirent et Garak disparut dans le Quark's.

— Désirez-vous faire une pause, messieurs ? demanda Quark quand les portes furent refermées. Je peux demander à Rom de vous préparer quelque chose.

Odo balaya du regard les restes qui jonchaient la table du buffet. Rom avait ramassé une partie de la nourriture, mais il en restait suffisamment pour en sentir les relents dans la salle. Odo ne pourrait plus jamais regarder un sandwich au rosbif de la même manière.

Le Nagus évaluait le nombre de chips en sa possession. Odo en avait peut-être une poignée de plus que lui. Ils avaient dû empiler leurs jetons sur des fauteuils près d'eux sans quoi il leur aurait été impossible d'apercevoir leurs visages. Odo refusait de penser à la somme d'argent qui se trouvait là. Il n'avait encore jamais vraiment réalisé les fortunes que pouvaient perdre les joueurs sur de pures spéculations de richesse instantanée.

— Je n'ai besoin de rien, répondit-il.

— S'il reste, je reste moi aussi, dit le Nagus en poussant un gloussement.

Quark sortit un paquet neuf :

— Que la partie commence.

Le Nagus porta un toast à Odo avec un verre rempli d'un liquide verdâtre. L'odeur que Odo discernait ne lui donnait nullement l'envie d'y goûter.

— Maintenant, on va vraiment s'amuser.

Quark soupira, et battit les cartes.

CHAPITRE 37

O'Brien avait à peine eu le temps d'arriver sur Ops quand le runabout de Sisko sortit de phase.

L'onde de choc fut tellement forte que la station trembla et oscilla en même temps. Des consoles se détachèrent des cloisons et l'espace d'un instant O'Brien pensa que la station entière allait éclater en morceaux. Il s'agrippa à son tableau sans détacher son attention des manomètres indiquant les niveaux d'endiguement du réacteur. Il ne savait trop comment, mais ça tenait le coup. Il effectua une brève mise au point sur le tableau faiblement éclairé. Le champ d'endiguement était en place. Il ignorait comment c'était possible, mais pour l'instant ils étaient tous sains et saufs, et rien d'autre n'importait.

L'éclairage, les systèmes environnementaux et les contrôles atmosphériques étaient tombés en panne.

— Dax ! cria-t-il. Vous n'êtes pas blessée ?

La réponse ne vint pas. Il songea pendant un instant à ramper jusqu'à elle dans l'obscurité, mais elle dit enfin :

— Je ne crois pas, chef. Laissez-moi m'en assurer.

Les secousses cessèrent et O'Brien lâcha sa console pour effectuer une autre vérification, plus approfondie, de l'état du champ d'endiguement. Il faudrait beaucoup de travail, mais les niveaux d'énergie se maintenaient à dix-sept pour cent.

Combien de secousses le réacteur supporterait-il encore, personne n'aurait su dire, et O'Brien souhaitait simplement qu'il n'aurait pas à le découvrir. Mais si Sisko réussissait à ramener non seulement les Cavaliers Fantômes, mais aussi Kira et lui-même, la station pouvait être pulvérisée.

Les lumières ne tardèrent pas à se rallumer et l'ingénieur réactiva rapidement les systèmes environnementaux et les contrôles atmosphériques. Un voile de fumée flottait sur Ops et les câbles qu'on avait réparés auparavant gisaient de nouveau par terre, laissant fuser des étincelles qui rendaient O'Brien inquiet.

— Enseigne, ordonna-t-il à Howe qui était en train de se relever. Ramassez-moi ce fouillis.

— Bien, chef, répondit Howe.

Quelqu'un ralluma le maître écran. O'Brien adressa un sourire à Dax, qui le lui rendit. Somme toute, elle semblait s'en être tirée sans trop de mal.

— Bon, dit O'Brien. J'espère que quelqu'un est prêt à mettre à l'épreuve ses talents de négociateur, déclara O'Brien en désignant l'écran.

Dax leva les yeux et vit la flotte des Cardassiens complètement en déroute encore une fois. Tous les vaisseaux culbutaient lentement dans l'espace, incapables de cesser de tourner sur eux-mêmes, pareils à des débris. L'un des vaisseaux s'était rompu et un large morceau de coque ricochait sur les autres navires.

— Dax, y a-t-il des survivants ?

— Il semble que tout l'équipage du vaisseau détruit ait pu être transbordé à la dernière minute. Il reste des réserves d'énergie au vaisseau de Gul Danar et son équipage est deux fois plus nombreux qu'en temps normal.

— Tant mieux, dit O'Brien. Un tas de Cardassiens morts, c'est bien la dernière chose dont nous ayons besoin. Ce sera déjà assez difficile de leur faire avaler ce qui arrive quand nous leur expliquerons.

— Ils ne nous ont pas encore appelés, dit Dax.

— S'ils le font, vous vous occuperez de leur parler. Je pourrais gaffer et leur dire qu'ils ont bien mérité tout ce qui leur arrive.

— Ce n'est pas vraiment la stratégie idéale de conciliation.

— C'est pour ça que je préfère que vous vous en occupiez.

O'Brien reporta son attention vers la console d'ingénierie. Les câbles derrière lui avaient cessé de crépiter et la fumée s'était dissipée. Il ne restait plus que des relents de matériel électrique brûlé.

— Les systèmes environnementaux et atmosphériques, les senseurs et les communications sont en fonction, annonça-t-il en jetant un regard à la ronde. Nous sommes maintenant des experts dans le genre.

— Indiscutablement, dit Dax. À présent, chef, il nous faut nos boucliers et notre armement. Si le plan de Benjamin réussit, nous serons secoués par une autre onde de choc d'un moment à l'autre. Sinon, les Cardassiens passeront à l'attaque sans même entrer en contact avec nous.

— Je m'en occupe, lieutenant.

Les mains de O'Brien volaient au-dessus de la console. Il n'avait certes pas envie de se retrouver sans armes ni boucliers devant une flotte de Cardassiens en colère, même si la station n'était pas équipée pour soutenir un tel combat.

Il regarda vers l'écran. Lorsqu'ils seraient de nouveau secoués, tous les systèmes de la station seraient probablement coupés. Il espérait avoir le temps de se croiser les doigts. Ça ne ferait certainement pas de tort si Sisko réapparaissait au beau milieu de la flotte cardassienne.

L'idée qui avait germé au fond de son esprit explosa soudain :

— Mais bien sûr ! s'écria O'Brien.

— Ça va ? demanda Dax.

Les doigts de l'ingénieur voltigèrent sur le tableau.

— Nous aurons besoin de protection au moment où Kira et Sisko reviendront.

— Je suis d'accord avec vous, convint Dax. Mais comment faire ?

— Je transfuse de l'énergie anionique dans les écrans déflecteurs. Cela nous abritera contre les ondes de solitrium.

— Boucliers activés, informa Carter. Transfert d'énergie anionique en cours.

Sur l'écran, un fin brouillard enveloppa la station. O'Brien hocha la tête et augmenta le débit. Il y aurait quand même des dégâts, mais ils seraient atténués.

— Qu'est-ce que c'est ça ? demanda l'enseigne Carter.

O'Brien examina l'écran. Un vaisseau blanc, fantomatique, apparut au milieu des débris cardassiens. Sa blancheur s'atténua graduellement, laissant distinguer une coque grise. Deux autres vaisseaux, blancs également, apparurent à proximité, aussitôt après.

— Cramponnez-vous !

— Voilà nos amis les Cavaliers Fantômes, dit O'Brien.

Les lumières s'éteignirent et la station fut violemment ébranlée quand les ondes des invisibles chasseurs frappèrent, mais elles se remirent bientôt à clignoter, à un rythme encourageant.

— Ça marche ! cria O'Brien. Le champ anionique bloque presque tout. Attendez ! Je dirige tous les systèmes de puissance vers les boucliers.

L'intensité de l'éclairage baissa au fur et à mesure que leurs réserves d'énergie se déversaient dans le champ anionique.

— Les mesures d'endiguement contiennent la poussée, déchiffra O'Brien sur les indicateurs. Le réacteur se maintient à cent dix pour cent.

— Le rayon tracteur est opérationnel, dit Dax. J'ai verrouillé les Cavaliers et je les ramène ici. Ils ne semblent pas posséder assez de puissance pour s'en dégager.

Un quatrième vaisseau fit surface, trop près pour la sécurité de la station. O'Brien attendit que l'enveloppe blanche de la station se dissipe et que cette dernière s'immobilise, puis il s'assura de la stabilité du réacteur avant de verrouiller l'appareil. Un cinquième vaisseau fit son apparition à tribord du vaisseau de guerre de classe Galor, l'envoyant valser dans l'espace.

L'écran énergétique de protection semblait tenir bon, en mesure pour l'instant de contenir toute menace de destruction.

— Combien y a-t-il de ces engins ? demanda O'Brien en verrouillant un autre faisceau.

Un sixième navire apparut à la pointe de la formation cardassienne, luisant d'une blancheur presque aveuglante. Quand elle s'effaça, le chef ingénieur manœuvra un rayon tracteur de manière à pouvoir capter également ce dernier vaisseau.

— Attendez ! s'exclama Odo. N'est-ce pas Kira ?

— C'est elle. C'est le *Gange* ! se réjouit Dax.

O'Brien poussa un soupir de soulagement. Il ne croyait pas être en mesure de déployer le rayon à une telle distance sans d'abord dégager brièvement un autre appareil.

— Le major se trouve à bord, le renseigna Carter.

— Où est le commandant ? demanda Dax.

Une alarme retentit.

— Les boucliers cèdent, dit O'Brien. La dernière secousse les a durement atteints.

Ses doigts pianotèrent de nouveau sur le tableau de sa console, mais sans succès cette fois. Il ne put maintenir ni les écrans ni le déversement d'énergie anionique. Kira tentait une transmission et O'Brien la fit apparaître à l'écran.

— Vous allez devoir me remorquer, dit-elle. Le moteur d'impulsion a lâché.

Les regards de Dax et de O'Brien se rencontrèrent au-dessus des consoles. Toujours pas de Sisko en vue. Si ses moteurs étaient coupés, il ne pourrait pas revenir.

— Votre runabout est verrouillé, major, dit O'Brien. Êtes-vous venue à bout des Cavaliers ?

— Le commandant s'en est chargé avec brio, dit Kira.

— Où est-il ? voulut savoir Dax.

— Je l'ignore, dit Kira, fronçant les sourcils. Il avait dit qu'il me suivrait.

Un silence s'installa, assez longtemps pour que l'expression généralement sereine du lieutenant devienne grave, puis le deuxième runabout apparut à côté du vaisseau de guerre de Gul Danar.

L'arrivée de Sisko provoqua un impact qui fit complètement chavirer le vaisseau amiral et éparpilla encore plus loin ce qui restait de la flotte.

— Cramponnez-vous, dit Dax. Nous ne sommes pas protégés cette fois-ci.

O'Brien demeura aux commandes. Il allait voir s'il pourrait cette fois maintenir l'éclairage. L'onde de solitrium frappa et la station se mit à vibrer. Les lumières clignotèrent. Les systèmes environnementaux stoppèrent un moment et les contrôles atmosphériques cessèrent de fonctionner.

— Champ d'endiguement intact.

O'Brien laissa échapper un profond soupir de soulagement, tandis que Kira disparut de l'écran en lançant un juron.

— Les systèmes de combat sont hors d'usage, annonça Carter.

La vibration cessa. O'Brien remit les systèmes environnementaux en marche.

— Qu'arrive-t-il au major ? demanda-t-il.

— Rien de grave, le rassura Dax, penchée sur ses commandes. Elle a été un peu secouée.

— Avons-nous perdu les rayons tracteurs ? demanda Howe, qui semblait ébranlé.

— Non, dit O'Brien. L'onde était moins forte que les autres.

— Les senseurs captent un signal étrange.

— Un appel du commandant, dit Carter.

— Ouvrez un canal, demanda O'Brien.

Le visage à la barbe épaisse de Sisko remplit l'écran en forme d'amande.

— Voilà un beau gâchis, dit-il.

— C'est en grande partie à vous que nous le devons, commandant, dit O'Brien.

— Et à vous aussi, je crois, ajouta Sisko en souriant. On dirait que vous vous en êtes bien tirés. Sans compter que vous tenez nos amis les Cavaliers. Vous savez qu'il faudra ramener Kira.

— Oui, commandant. Dès que nous le pourrons.

— Donnez-moi un rapport complet des dommages sur la station.

— Aucune perte de vie, dit Dax. Nous pouvons remercier O'Brien. Il a élevé un écran d'énergie anionique qui nous a évité une bonne partie des secousses. Tous les systèmes vitaux sont en fonction. Le réacteur est stable. Tout va bien, Benjamin. Ce sont les Cardassiens qui ont écopé cette fois.

— Et les Bajorans, ajouta O'Brien. Je viens de recevoir un message de Litna. Ses vaisseaux se sont entrechoqués, mais il n'y a pas eu de perte de vie.

Sisko hocha la tête :

— Lorsque les Cardassiens auront retrouvé l'usage de leurs systèmes, ils seront tous en position de combat.

Nous devons être prêts. Dax, continuez d'essayer de transmettre un message à Starfleet. Dites-leur que nous avons besoin de leur aide immédiate. Et dites à Litna de retourner chez elle et de ne pas en bouger.

— Je crois que ce ne sera pas nécessaire, dit Dax. Je viens d'obtenir un relevé des senseurs, je l'ai examiné et j'ai découvert que...

— La cavalerie ! hurla O'Brien, qui pouvait lui aussi distinguer les deux vaisseaux stellaires de classe Galaxie sur ses senseurs, et les acclamations fusèrent de partout sur Ops.

— La Fédération ? dit Sisko. Quand ont-ils reçu notre message ?

— Je ne sais pas, dit Dax. Peut-être qu'un des messages de Kira leur est parvenu. La Fédération était dans l'impossibilité d'en accuser réception.

O'Brien, un sourire aux lèvres, calculait la trajectoire des vaisseaux stellaires :

— Commandant, ils seront ici avant que les Cardassiens aient retrouvé leurs esprits.

— Tant mieux. Les pourparlers seront difficiles, c'est le moins qu'on puisse dire.

— Peut-être que nous devrions demander au major Kira de parlementer avec les Cardassiens, suggéra O'Brien avec un sourire.

Sisko secoua la tête :

— Je pensais plutôt lui demander d'interroger les Cavaliers Fantômes. Je crois qu'ils ont tous deux besoin de se vider le cœur.

— Je n'en doute pas, dit O'Brien en éclatant de rire.

C'est alors qu'il remarqua combien rire faisait du bien.

CHAPITRE 38

On en arriva à l'épreuve de force et à la dernière donne plus vite que Odo ne l'avait cru. Quelques heures plus tôt, il avait vu Lursa miser la valeur de plusieurs centaines de barres de latinum en se demandant comment on pouvait faire une telle chose.

Maintenant il le savait.

Les chips s'étaient transformés en une carte de score. Rien d'autre n'existait, sinon les cartes et le visage usé par le temps du Nagus. L'argent n'avait plus aucune signification. Il fallait gagner, c'est tout.

Il devait vaincre le Nagus.

Odo devait prouver à ces Férengis que leurs petites cervelles n'étaient pas de taille à se mesurer à la sienne.

Même si le jeu en lui-même n'avait pas changé, on ne pouvait pas en dire autant des probabilités à présent. En effet, chaque fois qu'un joueur quittait la table, les chances de recevoir de bonnes cartes diminuaient. Le Nagus avait remporté quelques mains parce que Odo n'avait pas bluffé.

Le Nagus avait réussi à le percer à jour et Odo, qui en était irrité, se demandait s'il n'allait pas essayer le bluff. Mais cela l'aurait ravalé au rang des autres menteurs, et il n'en était pas question.

Les échanges entre Quark et le Nagus étaient brefs et presque grossiers, ce qui rassura Odo. Compte tenu de toute la tricherie qui avait eu lieu dans cette salle depuis le début du tournoi, il lui était difficile de faire confiance à une paire de Férengis, l'un donneur et l'autre joueur. Mais il savait tout de même avec certitude que ni l'un ni l'autre ne trichait plus à présent.

Il leur montrerait que leurs esprits étroits, bourrés d'intrigues et de complots, n'étaient pas à sa mesure.

Même s'il devait bluffer pour ça.

Le Nagus coupa les cartes et Quark ramassa le paquet. Il les distribua d'un geste rapide. Odo attendit que ses deux cartes soient sur la table avant de les prendre. Un valet et un huit de pique. Une straight était possible. Un flush aussi. Indéniablement une bonne main pour miser. Odo ouvrit avec l'équivalent en chips de cinquante barres de latinum endoré.

Le Nagus ne sourcilla pas, son vieux visage demeura de glace. Odo se demandait même s'il avait changé d'expression depuis deux jours.

Sauf pour laisser retentir cet horrible rire.

Le Nagus suivit en lançant ses jetons dans le pot. Quark passa le Flop : le neuf de pique, le neuf de carreau et le dix de pique.

Odo regarda ses cartes de nouveau. Plus il jouait et plus il était fatigué, et plus il devenait prudent dans son jeu. Lors d'une main précédente avec le Nagus, il avait oublié quelles étaient ses cartes fermées et les avait confondues avec d'autres qu'il avait eues auparavant. Seul un coup d'œil de dernière minute lui avait évité de perdre des centaines de barres.

Le valet et le huit étaient toujours là. Avec le neuf et le dix, il pouvait obtenir une quinte royale. Il misa cent barres, avec un sentiment bizarre. Jusqu'à présent, il n'avait pas été agressif dans ses mises. Le Nagus le dévisagea curieusement.

— Je suis, et je relance de cent, dit le Nagus, les premiers mots qu'il prononçait depuis deux donnes.

Odo garda le silence. Il suivit en jetant les chips supplémentaires nécessaires.

Quark retourna le six de cœur.

Odo regarda ses cartes, non pas pour les vérifier cette fois, mais pour réfléchir. D'après les cartes ouvertes, les combinaisons possibles pour le Nagus étaient un full ou une séquence basse. S'il n'avait rien de mieux, il se retirerait. C'est ainsi qu'il avait joué jusque-là.

Odo saisit cent barres de chips, une mise égale à son ouverture de départ. Le Nagus le relança de deux cents barres. D'un geste vif, Odo suivit la mise. La pile de chips au milieu de la table était colossale.

Quark retourna la dernière carte. La dame de pique.

Une quinte royale. Une honnête quinte royale. Odo venait de décrocher une quinte royale, à la dame. Les probabilités de recevoir une telle main étaient si minces que Odo faillit s'étrangler.

Puis il comprit que cela devait arriver. Il y avait eu tellement de mains depuis le début du tournoi que les probabilités — si ténues qu'elles aient été — s'étaient concrétisées. Simple question de logique.

Il examina ses chips jusqu'à ce qu'il put contrôler la lueur qui, il le savait, s'était allumée dans ses yeux. Il allait battre les Férengis à leur propre petit jeu débile.

Il ouvrit alors la mise avec cinq cent barres. Si le Nagus n'avait rien, cette somme lui permettrait de remporter le pot. Mais s'il avait des cartes convenables, l'argent ne ferait que le pousser à augmenter la mise.

À condition, bien sûr, que le Nagus n'ait pas percé la stratégie de Odo. Le Nagus savait certainement que Odo avait quelque chose. Mais il lui était impossible d'en connaître la teneur.

Le Nagus suivit de cinq cents et en rajouta un autre. Il avait mordu.

Odo hocha la tête et, pour la frime, jeta un dernier coup d'œil à ses cartes. Il fit semblant de réfléchir encore, alors qu'il savait exactement ce qu'il allait faire.

Il avança les cinq cents supplémentaires devant lui et s'immobilisa, l'air pensif. Puis, finalement, il ajouta un autre mille, sans enthousiasme.

Le Nagus leva les yeux vers lui et sourit :

— Voilà peut-être la fin d'une superbe partie.

Il entoura de ses petites mains la pile entière de jetons qui lui restaient et la poussa devant lui.

Quark fut estomaqué et toussa.

Ce son plut à Odo. Tout ce qui l'intéressait à présent, c'était des réactions comme celle-ci.

Le Nagus avait-il quelque chose pour battre une quinte royale ?

Sûrement pas.

Les probabilités ne lui accordaient aucune chance et rien au cours des dernières heures n'avait laissé supposer que le Nagus trichait.

Odo poussa tous ses chips restants, même si son tas était plus volumineux que celui du Nagus.

— Je suis.

Tous les chips de tous les joueurs qui avaient participé au tournoi se trouvaient maintenant entre eux.

Lentement, le Nagus abattit ses deux cartes fermées. Un full. Trois neuf, deux reines. Une belle main.

Mais pas assez forte.

Quark émit un petit ricanement, que Odo était impatient d'effacer de son visage. Il retourna ses deux cartes sur le tapis :

— Quinte royale. À la reine.

Quark laissa échapper un petit sifflement. Le constable l'observa du coin de l'œil : le Férengi tentait fébrilement de se dominer. Il ne veut pas perdre la face devant le Nagus, pensa Odo.

Il en éprouva un petit pincement de plaisir. Ces longues heures d'ennui valaient bien l'expression d'horreur sur le visage de Quark.

Le Nagus fixa les cartes durant un instant, puis il hocha la tête et sourit :

— Tu devrais engager ce garçon, dit le Nagus en pointant le doigt vers Quark. C'est le meilleur joueur. Et c'est un gars de la région. Imagine tout l'argent qu'il pourrait te rapporter.

Quark roula de grands yeux à l'intention de Odo.

Le Nagus se pencha et tendit la main à Odo qui la serra. Elle était chaude et moite.

— Bien joué, dit le Nagus. Si je reviens dans le secteur un jour, je vous promets d'organiser un match de revanche — avec quelqu'un d'autre !

Il s'esclaffa, se leva, prit son bâton de commandement et se dirigea lentement vers les portes.

Quark était en extase. Les choses avaient beaucoup mieux tourné qu'il n'avait pu l'imaginer. La totalité des barres de latinum du tournoi étaient à lui, à présent.

— Je pense que vous me devez un peu d'argent, dit Quark en découvrant toutes ses dents dans un large sourire.

Odo ne semblait pas comprendre et Quark allait se faire un plaisir de lui expliquer :

— Voyez-vous, dit-il, en appuyant chaque mot d'une intonation triomphale, vous étiez à mon service. L'argent m'appartient.

— Non, Quark, répliqua Odo. Nous n'avons pas convenu que je vous donnerais l'argent si je gagnais.

Le cœur de Quark faillit lâcher :

— Mais... mais... mais, toutes les taupes font ça ! protesta désespérément Quark.

Odo haussa les épaules :

— Comme c'est curieux : certains détails laissés dans l'ombre prennent parfois une importance capitale. Nous n'avions conclu aucun accord. L'argent est à moi.

— Vous... Vous trichez, espèce d'escroc métamorphe ! s'étouffa Quark. Je.. Je...

— Qu'allez-vous faire ? demanda Odo. Me dénoncer à la sécurité ?

Quark se prit la tête entre les mains. La malédiction s'était abattue sur lui. Une malédiction qui avait revêtu la forme d'un métamorphe à la grande âme.

— Pourquoi moi ? murmura-t-il à l'intention des dieux férengis. Pourquoi moi ?

CHAPITRE 39

Les portes de l'arrière-salle étaient verrouillées. Même Rom n'y avait pas accès. Quark poussa devant lui les dernières barres de latinum endoré. Odo les compta et les rangea dans le dernier conteneur blanc qu'il avait apporté de son bureau. Il posa ensuite celui-ci sur le chariot avec les autres.

Quark faisait les cent pas dans la pièce, cherchant désespérément un moyen de garder l'argent. Mais Odo avait dit vrai : il n'avait aucun recours. Il ne pouvait même pas en référer au commandant Sisko, puisque ce dernier avait été mis au courant de son système de tricherie.

Odo se leva.

— Il faut ouvrir les portes. L'enseigne Johnson sera ici d'un moment à l'autre pour m'aider à mettre ce magot en lieu sûr.

Ce crétin de constable ne laissait jamais rien au hasard. Quark força un sourire en déverrouillant la porte. Il n'y avait pas de justice en ce bas monde. Vraiment aucune.

Dix caisses, de cinq piles chacune. Qu'est-ce qu'un type comme Odo allait bien pouvoir faire d'une telle fortune ? Peut-être qu'il n'en avait lui-même encore aucune idée.

— Comme le faisait remarquer le Nagus, commença Quark, il est heureux que ce soit quelqu'un d'ici qui ait remporté le tournoi. Cette station a besoin de l'injection de nouveaux capitaux. J'en parlais pas plus tard que ce matin avec...

— Franchement, Quark, dit Odo. Je croyais que vous me connaissiez mieux que ça.

— Vous aviez pourtant l'air de prendre plaisir à jouer.

— La seule chose qui m'amuse, dit-il en secouant la tête, c'est de vous faire enrager. (Il se dessina quasiment un sourire sur son visage aux traits inachevés.) Et je crois avoir réussi cette fois.

— Pas du tout, nia Quark. Croyez-moi, je me réjouis de votre victoire. J'aimerais simplement vous vous comportiez comme une taupe honnête et que vous me remettiez vos gains.

— Je n'ai jamais été une taupe, répondit Odo. D'ailleurs, j'ai d'autres projets pour ce pécule.

— Ah oui ? s'enquit Quark.

Odo lui fit signe que oui. Son visage avait pris une expression étrange, comme s'il avait peine à maîtriser ses muscles.

— Je n'ai aucun besoin de cet argent, voyez-vous. Aussi vais-je en faire don à... (Odo se pencha vers Quark jusqu'à ce que son nez partiellement complet touchât presque le sien.) ... la Fondation des Enfants bajorans.

— Une œuvre de charité ! Non ! hurla Quark.

C'était le comble.

Les traits du visage de Odo finirent par se reconstituer. En un sourire.

De sa vie, Quark n'avait jamais rien vu de si hideux.

Une œuvre de bienfaisance. Vous allez faire la *charité* ?

Il s'était trompé sur toute la ligne. Odo ne comprenait rien au poker, et il n'y comprendrait jamais rien. Un vrai joueur de poker ne ferait jamais don de ses gains à une œuvre de charité.

Après avoir ouvert les portes et poussé le chariot au-delà du seuil, il s'arrêta et se retourna.

— Ne faites pas cette tête-là, Quark, dit-il. Ce n'est qu'un jeu.

Quark regarda Odo traverser le bar avec son chargement de latinum endoré.

— Constable, dit-il quand il fut certain que Odo ne l'entendrait pas. On ne doit jamais jouer avec l'argent.

CHAPITRE 40

Sisko caressa sa barbe revêche, qu'il avait une hâte frénétique de raser.

Lui et Kira ressemblaient à des rescapés des guerres ziléaniennes. Ils montèrent ensemble dans le turbolift, sales, recrus de fatigue, mais heureux, malgré le fait qu'ils venaient de quitter le corps de garde. L'sthwan avait proféré des menaces de mort à l'endroit de Sisko, l'accusant de l'avoir trompé, tandis que les Cavaliers Fantômes — tous les cinq — dénonçaient leur conduite, à Kira et à lui.

— L'sthwan rêvait de se joindre un jour aux Cavaliers Fantômes, dit Sisko. Mais il n'espérait sûrement pas que son vœu se réaliserait de cette façon.

— J'espère qu'ils auront beaucoup de plaisir ensemble, dit Kira en éclatant de rire.

Le lift s'arrêta sur Ops. Sisko en franchit le seuil, Kira à ses côtés. Quelle agréable impression que d'arriver ici sans avoir à se soucier des pannes. Une fois qu'il aurait vérifié tous les systèmes et souhaité la bienvenue au capitaine de Starfleet, il regagnerait enfin ses quartiers.

Il lui semblait que Jake et lui avaient besoin de se retrouver un peu — et finir ce repas qui avait tourné court. Mais cela attendrait encore car il lui fallait d'abord une longue, *longue* période de sommeil.

— Les éclopés cardassiens se préparent à retourner chez eux, dit O'Brien. Et les Bajorans aussi.

— Cela semble vous faire plaisir, chef, dit Sisko.

— Moi je m'en réjouis, en tout cas ! s'exclama Kira, avant de voir un fin sourire se dessiner sur les lèvres de Sisko.

Dax se détourna de sa console :

— Le capitaine Higginbotham du vaisseau stellaire fédéré *Madison* et le capitaine Kiser du vaisseau stellaire *Idaho* seraient ravis de vous avoir à dîner. Ils se disent impatients de savoir comment vous vous y êtes pris pour infliger cette raclée aux Cardassiens.

— Dites-leur que j'accepte leur invitation, mais à condition que l'équipage de Ops soit également invité. Je pense qu'un bon repas ferait du bien à tout le monde ici.

— Pas de doute là-dessus, l'approuva O'Brien..

— Est-ce que nous pourrons nous reposer un peu avant ? demanda Dax.

— Vous reposer ? s'étonna Sisko. Je croyais que les Trills n'avaient pas besoin de sommeil, Dax.

— Nous vous réserverons toujours des surprises, Benjamin. Sachez que le Trill qui se trouve devant vous a besoin de repos.

— Demandez un délai de huit heures avant ce dîner, quand vous ferez les arrangements avec les capitaines.

— Excellente idée, reconnut Dax.

— En effet, fit Kira en se passant la main sur le visage, ce qui n'eut pour effet que de le barbouiller davantage.

Elle n'avait plus aucune énergie et Sisko n'était pas sûr que ce fut simplement à cause de l'épuisement.

— Voulez-vous me suivre dans mon bureau un moment, major, demanda-t-il.

Les portes en forme de losange glissèrent dans leur ouverture et s'ouvrirent sur un joyeux désordre. Tout était sens dessus dessous. Sisko n'était pas entré dans cette pièce depuis que les problèmes avaient commencé. Les rayons des étagères gisaient un peu partout et le sol était jonché de papiers. Il n'avait jamais réalisé qu'il conservait une telle quantité de paperasse.

Il écarta les débris qui recouvraient son fauteuil et s'assit pendant que Kira faisait de même de l'autre côté de son bureau.

— Vous vous en voulez d'avoir tué une créature énergétique, n'est-ce pas ?

Kira baissa les yeux :

— Toute ma vie, j'avais rêvé d'en voir une. Et tout ce que j'ai réussi à faire, c'est de la tuer.

— Je devine que cette mort était accidentelle. Auriez-vous pu l'empêcher, major ?

Kira secoua négativement la tête :

— J'ai repassé la scène des dizaines de fois dans ma tête. Je n'aurais rien pu faire. La créature s'est littéralement jetée devant moi.

— Dans ce cas, laissez-moi vous faire remarquer quelque chose d'important. Avant d'embarquer dans le *Rio Grande* pour aller vous chercher, j'ai effectué quelques recherches sur nos amis qui sont au corps de garde. Il est vrai qu'ils tentent de capturer les créatures énergétiques vivantes, mais pour chacune de ces prises, il semble que cinq en meurent. Vous ne vous trompiez pas, major. Les problèmes de la station n'étaient pas causés par les changements de phases des Cavaliers, mais par les créatures mortes qui dérivaient dans notre espace. Nous n'avions pas le choix. Il nous fallait stopper les Cavaliers.

— Mais vous alliez les laisser partir ! s'exclama Kira en retrouvant sa fougue habituelle.

Sisko nia d'un mouvement de la tête :

— J'ai l'impression de jouer moi aussi au poker depuis quelques jours. Non, je n'allais pas les laisser nous fausser compagnie. Une fois la crise passée, je vous aurais envoyée à leur poursuite.

— Sans vouloir vous offenser, commandant, votre bluff n'a pas réussi.

— C'est le risque qu'on prend quand on bluffe, major. Il faut parfois abattre son jeu. Et il peut arriver de perdre.

— Cette fois nous avons gagné, dit Kira dont le visage s'illumina d'un sourire.

Sisko hocha la tête :

— Cette fois, oui.

ÉPILOGUE

Dans une région de l'espace ayant retrouvé sa sérénité, un monde hors de phase, qu'aucun humain ne peut percevoir, une créature blanche en forme de ver flotte silencieusement. Mue par une force invisible, elle s'entortille et se déroule, mais son corps est flasque, toute trace de vie l'ayant abandonnée.

Les Cavaliers Fantômes ont disparu et les runabouts sont partis. Les *Espiritus* se dirigent vers la dépouille de leur compagnon. Quand ils s'en approchent, leur chair irisée miroite sur sa blancheur. Ils lui donnent de petites poussées, comme des enfants qui tenteraient de réveiller un camarade endormi. Puisqu'elle ne bouge pas, ils font cercle autour d'elle et attendent. Lentement, une enveloppe blanche et dure se forme autour de leur compagnon maintenant immobile.

Quelques heures plus tard — ou peut-être quelques jours (les *Espiritus* ne mesurent pas le temps) — la coquille blanche de la créature se détache, laissant apparaître des milliers de petites nœuds aux couleurs éclatantes — un rouge étincelant voisinant un bleu profond, un rose pâle contre un bleu turquoise marin. Une pulsation anime peu à peu les nodosités qui recouvrent bientôt tout le corps de la créature morte.

Deux *Espiritus*, depuis des extrémités opposées du cercle, nagent alors vers le milieu. Par petits coups, ils détachent les nœuds, qui se mettent à flotter dans l'espace, comme des bulles dans un océan calme et profond.

Chaque *Espiritu* entre en contact avec plusieurs centaines des petites sphères luminescentes, puis ils s'éloignent avec lenteur, chacun dans une direction différente, entraînant dans leur sillage les globules qui scintillent de lumières multicolores.

NOTE BIOGRAPHIQUE

Sandy Schofield est le nom de plume choisi par le duo d'écrivains et époux Dean Wesley Smith et Kristine Kathryn Rusch, qui ont pris ce pseudonyme quand ils se sont aperçus que la couverture d'un livre ne pouvait contenir leurs six noms. *Le Grand Jeu* est leur premier roman composé à quatre mains, mais certainement pas leur première publication.

Dean a publié plus de cinquante nouvelles, et un roman, *Laying the Music to Rest*, qui s'est classé parmi les finalistes du Bram Stoker Award for Best Horror Novel of the Year (le seul roman de science-fiction à avoir été retenu pour cette distinction). Kristine a elle aussi écrit plusieurs nouvelles et huit romans, dont quatre ont été publiés : *The White Mists of Power*, *Afterimage* (écrit en collaboration avec Kevin J. Anderson), *Façade* et *Heart Readers*.

Dean et Kristine ont mérité, pour leur participation à cette entreprise, un World Fantasy Award et une nomination pour le prix Hugo... ainsi qu'une maison remplie à craquer de bouquins (y compris de nombreuses copies de *The Best of Pulphouse*, de la maison d'édition St-Martin Press). Kristine a cessé de rédiger pour Pulphouse et collabore maintenant au *Magazine of Fantasy and Science Fiction*. Son travail pour ce magazine lui a valu trois nominations pour le prestigieux prix Hugo de meilleur rédacteur en chef. Dean dirige la publication de la plupart des projets de Pulphouse, et ses talents de rédacteur ont mis *Pulphouse: A Fiction Magazine* trois fois en lice pour le Hugo.

C'est en 1991 qu'ils ont commencé à écrire en collaboration. En plus du *Grand Jeu*, ils ont publié des nouvelles dans *Ghosttide* et *Journey's to the Twilight Zone*. Un autre roman de Sandy Schofield est paru dans la série *Aliens* en 1994.

STAR TREK®

DEEP SPACE NEUF

À paraître prochainement

www.AdA-inc.com

Star Trek Unification

le fan-club francophone

B.P. 416-16 75769 PARIS CEDEX 16 FRANCE

http://www.unification-online.org

STAR TREK® VOYAGEUR

À paraître prochainement

www.AdA-inc.com

Star Trek Unification

le fan-club francophone

B.P. 416-16 75769 PARIS CEDEX 16 FRANCE

http://www.unification-online.org